10대를 위한
완벽한
진로 공부법

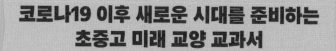
코로나19 이후 새로운 시대를 준비하는
초중고 미래 교양 교과서

10대를 위한 완벽한 진로 공부법

앤디 림·윤규훈 지음

공부와 인생이
재미있어지는
진짜 현실 행복 수업!

체인지업
CHANGEUP

학교에서 배울 수 없는
'진짜 현실' 진로 이야기

이 책은 전국 곳곳의 학교와 학원에서 6년간 33만 명의 10대 청소년들을 만나 큰 공감을 얻었던 진로 이야기이다. 진로 특강으로 나눈 이야기들에 추가로 더 많은 설명과 정보를 담아 더욱 알차고 풍성하게 책으로 만들었다.

이 책의 특징은 '진짜 현실'을 바탕으로 한 진로 가이드북이라는 점이다. 꿈에 대하여 아기자기하게 설명하고, 두루뭉술하게 이상적인 이야기로만 채워 넣은 것이 아닌 자신의 진로에 대해 진지하게 생각할 수 있도록 동기 부여를 해 주고, 실질적인 대학 진학과 대학 졸업 이후의 취업과 창업에 이르는 이야기를 담았다. 현실과 꿈의 균형을 맞추며 자신의 진로에 대해 스스로 큰 그림을 그려 볼 수 있도록 도움을 주도록 한 것이다.

"쌤! 저는 부자 되고 싶어요."

"저는 건물주 돼서 편하게 살고 싶어요."

"엄마아빠 일 쉬게 만들어 드리고 싶어요.

고생 그만 시켜 드리려고요"

"세계여행도 다니고, 하고 싶은 일 마음대로 하고,

봉사도 하고 기부도 하며 멋지게 살고 싶어요."

"솔직히 저는 꿈이 없어요,

뭘 해야 할지 아직 모르겠어요."

"쌤, 저는 성적이 안 좋은데 어떡하죠?"

진로 강연을 하면서 우리 청소년들에게 많이 듣는 이야기들이다. 처음에는 기대 없이 앉아 있는 학생들이 대부분이지만, 생생한 현실 이야기를 들려주며 그들의 '찐' 관심사를 건드리면 너도나도 입을 열고 자신들의 바람과 고민을 털어놓았다. 자신의 진로에 대해 생각이 없는 학생은 한 명도 없었다.

이 책을 읽는 여러분도 지금부터 놀라운 경험을 하게 될 것이다. 우리가 이 책에 학교와 가정에서 들려주지 않았던 이야기, 들려주었지만 너무나 '가볍게' 알려주었던 이야기, 어른들도 제대로 정리하지 못해 명확히 알려 주지 못했던 완벽한 진로 이야기를 풀어 놓았기 때문이다.

여러분은 이 책을 읽으며 여러분과 나이 차이가 얼마 나지 않지만 꿈을 이룬 선배, 부자가 되어 삶을 즐기는 사람들의 '성공의 비밀'을 알게 될 것이다. 또한 학교 공부는 잘 못했지만 사회적으로 성공한 사람들의 숨겨진 '노하우'도 배울 수 있다. 이러한 '비밀' 이야기는 공부와 인생이 재미있어지고, 앞으로의 진로에 성공과 행복을 얻게 될 확률을 높이는 방법들이다.

앞으로 다가오는 미래는 4차 산업 시대이다. 3차 산업 시대의 생각과 가치관을 가지고 있는 사람들이 아니라 4차 산업 시대의 생각을 가진 사람들이 이끌어 가게 돼 있다. 세상은 이미 돈과 권력을 가진 사람에게 유리하게 되어 있다. 그러니 제대로 방향을 잡고 가지 않으면 우리의 미래는 금전적으로 부족하고, 정신적 여유가 없는 삶이 될 수 있다. 이를 위해 세상이 돌아가는 숨은 원리를 제대로 이해하고, 꿈과 현실의 균형을 이루어야 한다.

여러분이 이 책의 내용을 믿고, 우리가 알려 주는 방법들을 그대로 실천해 보기를 부탁한다. 순진하게 대학 입시 하나만 바라보며 무작정 달려가다 나중에 취업난에 고생하며 후회하지 않기를 간절히 바라기 때문이다.

돈이 없어도, 공부머리가 부족해도, 학벌이 부족해도, 금수저가 아니어도, 이 책을 통해 여러분의 인생과 진로가 확 바뀔 수 있음을 강력히 믿기 바란다. 믿고 그대로 실천만 하면 누구나 자신이 원하는 성공과 행복을 누릴 수 있다.

절실한 마음으로 여러분에게 부탁하고 싶다. 꼭 형광펜으로 밑줄을 치면서 이 책을 끝까지 읽어 주기 바란다. 그리고 스스로 변화할 수 있다고 믿어 주기 바란다. '나도 부자가 될 수 있고, 좋은 대학에 갈 수 있고, 원하는 대로 취업이나 창업을 할 수 있다!' '나로 인해 우리 가족은 더 행복해질 것이다!'라는 믿음이 있어야 한다. 믿으면 되고, 그것은 성공으로 가는 엘리베이터의 시작이다.

2020년 6월
앤디 림, 윤규훈

차례

이야기를 시작하며

학교에서 배울 수 없는 '진짜 현실' 진로 이야기 *4*

1장 | ## 나는 반드시 잘될 것이다! 왜냐고?
— 완벽한 동기 부여

누군가 '놀고' 있을 때, 나는 이 책을 '읽고' 있기 때문에! *17*
생각만 바꾸면 인생의 출발선이 달라집니다 | 대학과 기업이 원하는 사람

'생각'을 바꾸면 인생이 바뀌기 때문에! *22*
생각 바꾸기의 놀라운 결과 | 성공한 사람들의 '알려진' 비밀

나는 아직 제대로 해 보지 않았기 때문에! *28*
하긴 했는데 결과가 좋지 않다면 | 꾸준히, 조금만 더, 남들과 다르게!

시간과 기회가 너무도 많이 남아 있기 때문에! *35*
기회는 한 번으로 끝나지 않습니다 | 남아 있는 시간은 충분합니다

꿈을 이루고 부자가 된 사람이 의외로 많기 때문에! *40*
인생은 길고 행복의 길은 다양합니다

2장 | 진로가 인생을 바꾼다
— 완벽한 현실 인식

대학, 갈까? 말까? *47*
어른들이 대학에 가라 하는 이유 | 대학 안 가면 안 돼?

속지 말자! 대학은 최종 목표가 아니다 *55*
공부를 못해도 '성공'할 수 있습니다 | 경제가 어려울수록 진로가 중요합니다

'진로'를 잘 정하면 인생이 바뀐다 *61*
**진로의 정확한 이해 | 진로와 직업은 다릅니다 | 인생이라는 도로에서 운전하기 |
진로는 계속 바뀝니다**

취업할까? 창업할까? 뭐가 좋을까? *73*
취업과 창업, 무엇을 선택할까?

취업에 성공한 선배들의 4가지 비결 *78*
**첫째, 누가 봐도 스펙이 좋다 | 둘째, 적극적이고 도전적이다 | 셋째, '경험치'가
다르다 | 넷째, 유재석처럼 말을 잘한다**

1년에 3억 이상 버는 창업 선배들의 4가지 비결 *87*
**첫째, 역시나 스펙이 좋다 | 둘째, 도전적이며 자유로운 성향 | 셋째, 돈에 대한 뜨
거운 열망 | 넷째, 자기 생각이 분명하고 카리스마가 있다**

깜짝 부록

나는 어떤 사람일까?
— 가볍게 알아보는 나의 기질 *98*

3장 | 성공하는 상위 1%의 비밀
— 완벽한 진로 솔루션

실리콘밸리와 대기업이 원하는 것은? *121*
'나를 아는 것'이 중요한 이유 | 자유학기제와 창의적 체험 활동의 영리한 활용 |
어른스러운 경험! 면접관의 마음을 뺏어 수시에 합격하다

스마트한 진로 설계를 위한 핵심 솔루션 4가지 *131*
솔루션1 : 5명을 만나고, 5권을 읽고, 5개를 시청하라 | 솔루션2 : 모방하라! 상
위 1%의 비밀이다 | 솔루션3 : 시간을 인정하라 | 솔루션4 : 세상은 남과 다른 깊
은 경험을 원한다

<table>
<tr>
<td>**4장**</td>
<td>

스팀 교육으로 한발 앞서 가라
— 완벽한 미래 진로 디자인

</td>
</tr>
</table>

미래를 알아야 진로가 보인다 *151*
4차 산업에 대한 흔한 오해 | 직업이 아니라 산업이 중요합니다

앞길이 밝은 산업 vs 앞이 캄캄한 산업 *156*
어려워 보이는 길에 답이 있습니다 | 기계가 대신할 수 없는 일

코로나19가 바꿔 놓은 10대들의 미래 *164*
대면 사회에서 비대면 사회로 | 최고의 가치는 가족과 건강과 집에 있습니다 | 아는 만큼 기회가 보입니다

미래를 준비하는 3가지 방법 *172*
첫째, 1등을 따라 하면 성공합니다 | 둘째, 증권사 리포트를 읽으면 유리합니다 | 셋째, 미래 역량을 길러야 합니다

외국은 이미 스팀 교육으로 4차 산업을 준비하고 있다 *179*
스팀 교육은 창의 융합 교육입니다 | IT와 친해져야 합니다

스팀 교육을 해야 하는 4가지 이유 *184*
첫째, 기업이 창의 융합 인재를 1순위로 뽑고 있기 때문에 | 둘째, 창의 융합은 4차 산업의 핵심이기 때문에 | 셋째, 부자가 되려면 창의 융합을 해야 한다 | 넷째, 창의 융합은 재미가 있다

스팀 교육의 핵심 노하우 - 실용 창의력 *194*
돈이 되는 창의 vs 돈이 안 되는 창의 | 스팀 교육이 암기에서 시작된다고요? | 수다 떨고 설명만 하면 1등이 됩니다 | 4P로 스팀 완성!

5장

내가 원하는 나, 나의 미래
— 완벽한 행복 솔루션

결국, 남는 것은 가족이다 *209*

인생은 유효 기간이 있습니다 | 세상에서 나를 가장 아끼는 사람

인생에는 3번의 큰 기회가 온다 *214*

10대는 '가장' 중요한 시기가 아닙니다

원하는 삶을 살려면 돈이 필요하다 *219*

돈을 싫어하는 사람은 없습니다

건강하기만 해도 성공한 인생이다 *225*

건강을 잃으면 전부를 잃는 것입니다

성공을 위한 보너스 트랙, 인맥 *229*

인맥은 어디서나 성공의 열쇠가 됩니다

**책속
부록**

1 나를 알아가는 첫걸음
— 진로 설계를 위한 기초 문답 *236*

2 졸업하기 전에 알았으면 좋았을 것들 40가지 *242*

참고자료 *251*

1장.

나는 반드시
잘될 것이다!
왜냐고?

완벽한 동기 부여

할 수 있다…
할 수 있다…
할 수 있다…
— 리우 올림픽 금메달리스트 박상영
(결승전 마지막 쉬는 시간에)

누군가 '놀고' 있을 때,
나는 이 책을 '읽고' 있기 때문에

서울의 어느 학교에서 있었던 일이다. 학부모와 학생이 함께 참여하는 방과 후 특강이 열렸다. 강연 시작부터 모두들 높은 몰입도를 보이며 경청했고, 핵심 내용을 받아 적느라 분주했다. '이분들과 아이들은 앞으로 잘될 수밖에 없겠다'라는 생각이 들 정도로 뜨거운 분위기였다. 강연이 끝난 후 질문을 받겠다 했더니 맨 뒤에 앉은 남자아이가 손을 번쩍 들고 물었다.

"쌤! 제가 지금부터라도 노력하면 쌤이 말씀하신 사례처럼 잘될 수 있을까요? 솔직히 저는 지금 성적이 좋지 않아서요. 또 아직 뭘 하고 싶은지도 모르겠고 특별한 꿈도 없어요."

진로 강연에서 가장 많이 듣는 단골 질문이 또 나왔다. 나는 한껏 고개를 끄덕이며 아이에게 즉시 답을 주었다.

"물론이지! 이름이 서준이라고 했지? 서준아, 너는 앞으로 분명히 잘될 거야. 너는 이미 앞서 가기 시작했거든. 왜냐고? 누군 가는 스마트폰을 보며 시간을 흘려보내고 있을 때 서준이는 부모 님과 함께 쌤을 만나고 미래를 진지하게 생각하게 됐잖아. 이제 남들과 출발선이 달라진 거야. 인생이라는 달리기 경주에서 서준 이는 남들보다 더 앞에서 뛰게 되었다는 뜻이지."

생각만 바꾸면 인생의 출발선이 달라집니다

출발을 앞에서 한다는 것은 그만큼 성공 확률이 높음을 의미한다. 비슷한 실력의 선수들이라면 100미터 달리기를 할 때 조금이라 도 앞에서 뛰는 선수가 좋은 결과를 얻는 것이 당연하지 않은가? 그렇다면 인생에서의 유리한 출발 조건은 어떤 게 있을까? 집안 의 재산, 학군, 공부머리 DNA, 가족의 인맥, 해외 경험 등을 우선 적으로 떠올릴 것이다. 그런데 과연 그런 것들만 있으면 완벽하게 성공한 삶을 살게 되는 걸까?

결론부터 말하자면 그렇지는 않다. 위의 조건을 갖추면 성 공에 유리한 것이 사실이지만 그보다 서준이처럼 '생각의 변화'와

'인식의 확장'을 경험하는 것이 더 중요하다.

이 점을 분명히 알아야 한다. 아무리 부자여도, 아무리 좋은 학군에 속해 있어도 스스로의 '생각'이 열리지 않고, '동기부여'가 제대로 되어 있지 않으면 말짱 도루묵이다. 성공을 위한 가장 중요한 조건은 바로 '아!' 하는 깨달음과, '으, 내가 꼭 해내고 말겠어!' 하는 자신의 강력한 의지이다.

그날 강연에 참여했던 열정 넘치는 가족들과 마찬가지로 지금 이 책을 읽고 있는 여러분도 그렇게 한발 앞서 나가고 있는 것이다. 지금도 누군가는 TV와 유튜브를 보며 시간을 낭비하고 있을 때 여러분은 지금 이 책을 읽고 있다. 성공으로 가는 '생각의 변화'라는 엘리베이터에 남들보다 먼저 오른 것이다.

생각이 바뀌었기에, 이제 당신은 엘리베이터가 알아서 성공으로 올라가는 놀라운 경험을 하게 될 것이다. 이상하게 공부가 하고 싶고, 돈을 벌고 싶고, 꿈을 이루고 싶고, 부모님을 위해 열심히 살고 싶어질 것이기 때문이다.

대학과 기업이 원하는 사람

한번 생각해보자. A가 놀 때 B는 공부한다. 누가 사회적으로 성공할 확률이 높을까? C가 유튜브를 볼 때 D는 독서를 한다. 누가 더 성공할 확률이 높을까? B와 D 아닐까? 이렇게 말하면 "에이~ 쌤, 그런 단순 비교가 어디 있어요~ A와 C도 성공할 수 있어요~" 하면서 웃는 사람도 있을 것이다.

맞다. 그 말도 일리 있다. 하지만 분명히 알아야 할 것은 대학과 기업이 여전히 이러한 '단순 비교'를 통해 학생과 직원을 뽑고 있다는 것이다. 누군가는 놀고 있을 때 여러분은 이 책을 읽고 있으니 대학이나 기업에 뽑힐 확률이 높을 수밖에 없다. 그래서 현실을 바로 아는 것이 매우 중요하다.

내가 하는 특강을 들었던 학생이라면 "쌤! 저번에는 저희한테 잘 놀아야 한다고 하셨잖아요? 왜 다른 말을 하세요?" 하고 물을 수도 있겠다. 그런 사람이 있다면 내 이야기를 잘못 알아들은 것이다. 세상은 놀 때 놀고 공부할 때 공부하는 사람, 놀 때 놀고 책은 꼭 읽는 사람, 놀면서 놀이를 통해 다양한 경험을 쌓는 사람, 놀이와 게임을 통해 세상을 이해하는 사람을 원한다. 주구장창 놀기만 하는 것과는 다른 이야기다.

중요한 핵심은, 어려운 경제 상황에도 취업에 성공한 선배들은 공통적으로 독서하는 사람, 놀 땐 놀지만 결코 공부를 게을리하지 않은 사람이라는 것이다. 믿기지 않을 수도 있지만 대학과 기업은 지금 이 책을 읽고 있는 여러분 같은 사람을 서로 뽑아 가려고 한다. 생각이 깨어 있고, 책을 읽으며 한 가지라도 더 얻으려하고, 남들과 다른 생각을 하는 여러분을 기다리고 있다. 반드시 기억하고 믿기 바란다. '나는 지금 독서를 하고 있기 때문에 원하는 성공을 이룰 확률이 매우 높다'는 사실을 말이다.

★ 마냥 노는 사람 vs 지금 이 책을 읽는 사람, 대학과 기업에 뽑힐 확률이 높은 사람은 누구일까?

★ 대학과 기업이 높게 평가하는 '독서'라는 변화를 시작했기에 여러분은 잘 될 수밖에 없다!

'생각'을 바꾸면
인생이 바뀌기 때문에!

배에서 일하는 사람이 실수로 냉동 창고에 갇혔다. "사람이 안에 갇혔어요! 살려주세요!" 문을 쾅쾅 두드리며 큰 소리로 외쳤지만 아무도 듣지 못했다. 그러다 배가 항해를 시작하자 갇힌 사람은 공포에 사로잡혔다. '냉동 창고에 갇혔으니 이제 곧 얼어 죽을 테지. 아…… 춥다…… 아…… 춥다…….' 그는 결국 정신을 잃고 쓰러졌다.

　얼마의 시간이 흐르고 냉동 창고

CHANGE!!
CHANGE!!

문이 열렸다. 선원들은 숨을 거둔 채 쓰러져 있는 그를 발견하고 깜짝 놀랐다. 모두를 안타깝게 한 사실은, 그가 춥다고 느낀 냉동 창고가 고장으로 작동을 멈춘 상태였다는 것이다. 알고 보니 창고 안에는 음식도 충분해서 얼마든지 생존이 가능했는데, 갇혔다는 생각에만 사로잡힌 그는 주위를 둘러보지 못했다. 그야말로 '생각을 어떻게 하느냐'에 따라 한 사람의 운명이 바뀐 것이다.

생각 바꾸기의 놀라운 결과

부산에 프리미엄 어묵으로 이름난 '삼진어묵'이라는 기업이 있다. 시작은 좁은 공간에서 대기업의 주문을 받아 하루하루 작업을 이어 가는 작은 공장이었다. 그러나 삼진어묵 대표인 박용준 씨는 틀에 박힌 사고에 갇혀 있는 사람이 아니었다.

'이대로는 안 되겠어! 변화하자!' '사람들이 카페를 좋아하는데 우리도 카페처럼 해 볼까?' '어묵에 빵가루를 입혀 튀겨서 고로케(커틀릿)를 만들면 더 맛있지 않을까?' '매장 인테리어를 베이커리처럼 바꾸면 사람들이 좋아하지 않을까?' '대기업에 납품만 하고 끝내는 게 아니라 직접 소비자를 만나 어묵 카페를 운영하면 어떨까?'

그는 자유롭게 상상하고, 과감히 생각을 바꾸고, 혁신적으로 변화를 이끌었다. 답답하게 막혀 있던 공장을 제조 공정이 훤히 들여다보이는 통유리 카페형 공간으로 바꾸고, 몇 안 되던 어묵 종류를 수백 가지로 늘렸다. '거기서 거기'였던 어묵과 공간의 놀라운 변신은 소비자들의 주목을 받았고, 삼진어묵은 6년 만에 한해 매출이 25배로 늘어나며 큰 성공을 거두었다. 간절한 마음을 품고 생각을 바꾸자 기업의 운명이 바뀐 것이다.

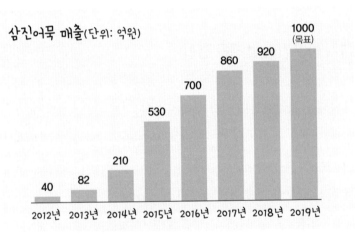

삼진어묵 매출의 변화(단위: 억원. 자료 제공: 삼진어묵)

나 역시 학교에서 학생들을 만날 때 가장 강조하는 것이 바로 '생각 바꾸기'이다. '생각'을 바꾸지 않은 채 남들이 하는 만큼 노력하는 것만으로는 좋은 결과를 바랄 수 없기 때문이다. 그래서 학생들뿐 아니라 교사, 학부모 들에게도 늘 '생각의 변화'를 강조한다. 삶을 대하는 생각, 태도, 자세, 아이디어, 철학, 관점이 바뀌면 우리 교실과 우리 가정이 완전히 바뀌기 때문이다.

다시 한 번 강조하지만, 생각과 동기 부여가 제일 먼저다. 공부는 두 번째다. 부모님이 얼마나 고생하시는지 깨닫고 뒤늦게 공부하여 명문대에 진학한 준수, 성적은 좋지 않았지만 아이디어와 영상 편집 실력이 뛰어나 유튜버가 된 지영, 학창 시절부터 관심이 많았던 화장품 분야로 청년 창업을 시도해 스스로 화장품 회사의 대표가 된 윤아의 성공 사례는 모두 '생각 전환'에서 비롯되었다.

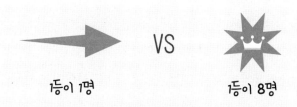

생각만 바꾸면, 각자의 방향에서 모두가 1등이다.
나도 1등이 될 수 있다!

성공한 사람들의 '알려진' 비밀

만일, 인생을 바꾸고 싶거나 원하는 인생을 살고 싶다면, 딱 2가지만 하면 된다. 바로 '생각 바꾸기'와 명확한 '동기 부여'다. 생각 전환과 동기 부여가 일어나면 중하위권 학생도 얼마든지 상위권으로 올라갈 수 있으며, 자존감이 낮고 우울하던 사람도 자신감 넘치는 사람으로 바뀔 수 있음을 믿기 바란다.

강조하고 또 강조하고 싶다. 아니, 꼭 외워 주기 바란다. 생각의 변화만으로 이루어 낸 대학 합격, 취업 성공, 수십 억의 수입, 행복한 결혼 등 현실적인 사례가 너무도 많다. 정말로 생각만 바뀌면 대학이 바뀌고, 수입이 바뀌고, 차가 바뀌고, 나와 부모님의 하루 웃음 횟수가 바뀐다.

"에이~ 쌤~ 생각만 바꾸면 내 꿈이 이루어진다고요?"

믿기 힘들 수도 있지만, 믿지 않는다면 그걸로 끝이다. 무조건 생각만 바꾸면 나의 인생이 바뀐다고 믿어야 한다. 그리고 그 믿음을 1년만 유지해 보자. 그럼 무조건 된다! 사실이기 때문이다.

《생각의 비밀》을 쓴 작가 김승호, 세계적인 베스트셀러 《시크릿》의 저자 론다 번이 공통적으로 강조하는 메시지도 이와 같다. '현재의 생각을 바꾸어라' '할 수 있다고 생각하라' '생각만 바꾸면 부자가 될 수 있다'며 생각의 중요성을 강조했다. 국민MC 유재석 역시 노래 '말하는 대로'를 통해 문득 생각한 '깨달음' 하나가 본인의 인생을 바꾸었다고 고백한 바 있다. 모두 '생각과 태도'의 중요성을 보여 주는 사례라 할 수 있다.

여러분은 이제 이 책의 목표 지향적인 관점을 통해 다른 친구들보다 '인생에 대한 생각'을 확실히 하기 시작했다. '나도 해 볼까?' '공부 잘해서 좋은 대학 가고 싶다!' '엄마 아빠 고생 안 하시게 돈 많이 벌고 싶다!' '게임 만드는 사람이 되어서 세계인이 즐기는 게임을 개발하겠다!'

어떤 꿈이든 좋다. 여러분은 결국 굉장히 잘될 것이고, 원하는 꿈을 이룰 것이다. 그 시작은 정말이지 이 단어 하나에서 시작한다. 바로 '생각'이다. 꼭 믿기 바란다. 생각만 바뀌면 인생이 바뀔 수 있다. '그래! 공부 못 해도 사회에서 성공할 수 있어! 돈이나 왕창 벌자!' '지금부터 노력해도 대학에 갈 수 있어!' '나는 잘될 것이다!' 생각을 바꾸고 말하는 순간 꿈은 이루어진다. 여러분은 이미 앞서 가기 시작했다.

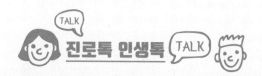

★ 듣기 좋은 위로가 아니다. 성공한 선배들 대부분은 '생각을 바꾸는 것' 하나로 인생이 바뀌었다.

★ 동기 부여만 되면 누구나 최상위권이 될 수 있다. 동기 부여가 모든 것의 시작이다.

나는 아직
제대로 해 보지 않았기 때문에!

누구나 처음은 어렵다. 안 해 봤기 때문이다. 뭐든 두 번째 할 때는 당연히 처음 할 때보다 쉽다. 한 번 겪어 봤기 때문이다. 세 번째는 첫 번째와 두 번째보다 쉬워진다. 이제는 익숙해졌기 때문이다. 강연 때마다 학생들에게서 나오는 질문은 '공부와 진로'에 대

한 내용이 많다. 나는 답변을 하기 전에 먼저, 진지한 목소리로 이렇게 묻는다. "제대로 해 봤니?" 그러면 학생들은 대부분 말문이 막힌다. 그냥 해 봤는지, 최선을 다해 '제대로' 해 봤는지는 생각해 본 적이 없기 때문이다.

하긴 했는데 결과가 좋지 않다면

"엠비드! 넌 충분히 위대한 선수가 될 수 있어. 그런데 넌 지금 열심히 안 뛰고 있어. 왜 그래! 그냥 좋은 선수가 되려는 거야? 위대한 선수가 될 가능성이 많은데?"

미국 농구 리그 NBA의 전설 샤킬 오닐이 생방송 중에 조엘 엠비드라는 현역 선수에게 한 말이다. 그 말을 듣고 리그의 소문난 악동 엠비드가 어떻게 했을까? "이봐! 나 열심히 하고 있거든? 형은 나에 대해 잘 알지도 못하면서 무슨 잔소리야!"라고 했을까?

아니다. 그는 샤킬 오닐에게 전화를 걸어 농구 선수로서 자신의 아쉬운 점, 놓치고 있는 점을 구체적으로 물으며 진지하게 조언을 구했다. 그리고 곧바로 훈련에 그 내용을 적용했고, 보름 뒤에 리그 최고의 선수 야니스와 맞붙은 경기에서 성과를 증명했다. 상대를 14점에 묶고, 본인은 31점을 넣으며 팀을 승리로 이

끈 것이다. 엠비드는 인터뷰에서 이렇게 말했다. "오닐은 내게 훌륭한 조언과 칭찬으로 동기 부여를 해 주었습니다. 지금의 수준에 만족해 있던 내게 열심히 한다는 것의 의미를 새롭게 깨우쳐 주었습니다."

제대로 최선을 다하는 것과 성공적인 동기 부여를 보여 주는 이야기다.

학생들은 학교에서 무언가를 '하는 법'은 배우고 있지만, 정작 '제대로' 하는 법은 배우지 못하고 있다. 그래서 나름대로 노력하는데도 보통 수준에 머무르는 경우가 너무 많다. 정말이지 제대로만 하면 성과가 완전히 달라지는데, 어른들이 알려 주지 못해서 제대로 노력하지 못하고 있는 것이다.

> 다시 한 번 '제대로' 해 보면 이제 되겠구나!

> 아, 이런! 내가 하긴 했는데 '제대로' 하진 않았구나!

꾸준히, 조금만 더, 남들과 다르게!

그렇다면 '제대로 하는 법'이란 무엇일까? 첫째로 꾸준히 하기, 둘째로 남들보다 '조금만 더' 하기, 셋째로 남들과 '다르게' 하기이다. 다시 말해 꾸준함, 더 많은 시간 투자, 남들과 다른 방향으로 가는 것이다. 이 3가지를 한꺼번에 하면 가장 좋겠지만, 셋 중에 하나만 하더라도 원하는 꿈을 이룰 확률이 확 높아진다. 꼭 기억해 두자. 뭐든지 21일만 꾸준히 반복하기, 남들보다 1분만 더 하기 또는 한 번만 더 하기, 남들과 반대로 하거나 남들이 하는 것과 한 가지만 다르게 하기.

제대로 하는 3가지 방법

1. 21일 꾸준히 하기

- 매일 7시에 꾸준히 일어나기 : 21일 뒤에는 몸이 시간을 기억해 시계가 없어도 스스로 7시에 일어나게 됨.
- 매일 20시에 5분씩 꾸준히 컴퓨터로 영문 타자 연습하기 : 21일 뒤에는 나도 모르게 실력이 늘어 스스로 성취감을 느끼며 매일 20시 연습을 이어 가게 됨. 결국 500타 이상의 영문 타자 실력을 갖추게 됨.

2. 남들보다 1분/1번만 더 하기

- 하루 1분만 책 읽기 : '자, 1분만 읽어 보자!' 하고 시작하면 나도 모르게 최소 3분은 읽게 됨. 그리고 멈추려던 순간에 딱 1분만 더 읽자, 하면 최소 2분은 더 읽게 돼서 결국 1분 읽으려고 책을 잡을 때마다 5분씩 읽게 됨.
- 달리기로 체력 기르기 : 목표한 시간보다 1분만 더 뛰면, 한 달 뒤 남들보다 3배 이상 체력을 길렀다는 것을 알게 됨.

3. 남들과 다르게(+1가지 융합)
- 대입 면접/창의 체험 활동에 '창업 동아리 경험'을 넣고 실제 용어를 써 가며 발표함.
- 독서 경험에 그치지 않고, 직접 5명의 작가를 찾아가 인터뷰한 내용을 정리하고 자신의 블로그에 올림.
- 플리마켓에서 김밥을 팔 때 창의적 김밥인 '고추장 삼겹살 김밥'을 만들어 완판시킴.

대학 입시 공부, 졸업 이후 사회생활 역시 마찬가지 원리이다. 돈을 많이 벌거나, 좋은 대학에 가거나 회사 생활을 잘하기 위해서는 '제대로 잘하는 것'이 중요하다. 그냥 '하는 것'만으로는 안 된다. 꾸준히 하는 사람, 남들보다 더 하는 사람, 남들과 다르게 하는 사람이 더 많은 돈을 벌고, 원하는 직장에 들어가게 되고, 원하는 목표를 이루게 될 확률이 높다. 스포츠 선수 역시 남보다 더 많은 땀을 흘리는 사람이 메달을 가져가고, 남들과 다르게 창의적인 작품을 내놓는 예술가들이 인정을 받는다.

가령 자이언티, 크러쉬, 헤이즈, 백예린은 특별한 음색 외에 차별화된 음악성으로 음원 차트 1위를 찍고 있으며, 나영석 PD, 김태호 PD는 남들과 다른 차원의 기획력으로 인기 예능 프로그램을 만들고 있다. 또한 유튜브 먹방 스타 쯔양은 남들보다 훨씬 많이 먹고, 먹방 BJ 유튜버 엠브로는 남들이 실내 촬영에 국한되어 있을 때 실외로 현장을 바꾸며 인기를 꾸준히 유지하고 있다.

바로 '남들과 다르게, 남들보다 1가지 더, 남들보다 더 꾸준히'의 원리를 적용해 성공한 사람들이다.

특히 강조하고 싶다. 무슨 일을 하더라도, 죽이 되던 밥이 되던 '꾸준히' '매일' 해 보자. 세상은 늘 기발하고 남다른 사람을 주목하지만 결국 '꾸준히 하는 사람들'이 이끌어 가기 때문이다.

★ 그저 꾸준히, 조금만 남과 다르게, 그리고 남들보다 1분만 또는 1번만 더 하자!

★ 제대로만 노력하면 인생이라는 성적표에서 최상위권이 될 수 있음을 꼭 기억하자.

시간과 기회가
너무도 많이 남아 있기 때문에!

어른들이 늘 강조하는 대학 입시와 학벌은 분명 중요하다. 이를 부정하는 사람도 간혹 있지만 한국을 비롯해 미국과 유럽의 주요 국가들에서는 여전히 학벌이 중시되고 있다. 이러한 현실을 인정해야 한다. 그러나 좋은 대학을 들어가지 못했다고 그것으로 인생이 끝나는 것은 절대 아니다.

학벌이 남들보다 한 발자국 앞서 나갈 수 있는 '수단'임은 분명하다. 하지만, 그러한 수단은 학벌 말고도 앞으로 너무도 많이 남아 있음을 반드시 알아야 한다. 가령, 화술, 인맥, 일머리와 돈머리, 아이디어, 생활력, 창의력, 사교성 등만 해도 얼마든지 성공의 열쇠가 될 수 있다. 그러니 혹시 공부를 못하더라도 주눅 들 필요가 전혀 없다. 왜냐하면 학벌이라는 첫 번째 수단을 놓쳤을지라도, 다른 수단으로 성공하면 되기 때문이다.

기회는 한 번으로 끝나지 않습니다

가령, 1순위 최상위권 대학을 못 갔다고 하더라도, 2순위로 입학한 대학에서 상위권이 되면 원래 진학하고자 했던 1순위 대학과 같은 결과를 얻을 수 있다. 쉽게 말해 1순위 중위권이 되는 것과 2순위, 3순위 대학에서 상위권이 되는 것이 결국 같다는 것이다. 실제로 명문대에 입학하지 못했던 많은 사람들이 이름만 대면 알 만한 대기업, 공기업에 채용되고 있고, 높은 수입을 보장하는 안정성 좋은 직업을 얻고 있다.

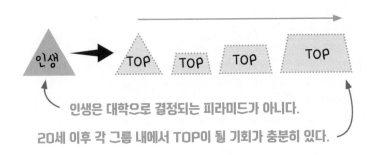

인생은 대학으로 결정되는 피라미드가 아니다.
20세 이후 각 그룹 내에서 TOP이 될 기회가 충분히 있다.

엄마나 아빠에게 이렇게 말해 보자. "명문대에 들어가지 못해도 내가 잘하는 게 분명하거나, 다른 학교에서 잘하면 기회가 또 있대요!" 그런 말을 들으면 엄마 아빠가 뭐라고 할까? 현실은 그렇지 않다고 할까? 아마 대부분 다음과 같이 대답할 것이다.

"응! 엄마 아빠가 살면서 경험해 보니 그 말이 맞는 것 같다. 명문대가 우선적으로 좋긴 하지만 못 갔다 하더라도 여러 가지 기회가 없는 건 아니더라."

이런저런 통계를 보면 여전히 명문대 졸업생들이 사회적으로 좋은 직업과 전문직을 휩쓸고 있다. 하지만, 기회의 문이 점차 지방대 졸업자와 심지어 고등학교 졸업자에게도 활짝 열리고 있음을 분명히 알아야 한다. **인생은 한방에 결정되는 로또 같은 것이 아니어서, 누구나 여러 번의 기회가 있다. 그 기회는 생각보다 꽤 많이 찾아올 것이다.** 여러분의 선배들이 이미 증명하고 있다. 명문대 진학에 노력은 기울이되, 안 되더라도 다음 기회를 잘 잡으면 되니 스트레스를 받을 필요가 없다. 세상의 원리를 제대로 깨달아야 한다.

남아 있는 시간은 충분합니다

그러니 앞에서 말한 대로 생각을 제대로 바꾸고 꾸준히만 해 보자.

강연에서 이런 질문을 던진 학생이 있었다. "쌤! 쌤이 말한 대로 첫 번째 기회를 놓쳐도 다음 기회에서 열심히 하기만 하면 누구나 잘될 수 있나요?"

물론, '누구나' 잘 될 수는 없다. 중요한 것은 역량(어떤 일을 해낼 수 있는 힘)이다. 세상과 기업이 명문대 출신을 제치고 여러분을 뽑으려면 그만큼 특별한 매력이 있어야 한다. 가령 서울대 졸업장은 있지만 역량이 부족한 사람 A, 지방 국립대를 나왔지만 A보다 나은 역량을 갖춘 B가 있다면 실제로 B가 선택된다. 결국, 명문대 간판은 좋은 수단이긴 하지만 더 중요한 것은 회사에 들어와서 일을 잘하고, 동료들과 팀워크를 발휘할 수 있는 역량이다.

이러한 내용의 답변을 하고 덧붙여 말했다.

"집에 돌아가면 아빠 엄마에게 기업에서 원하는 역량 있는 사람이 어떤 사람이냐고 물어보렴. 공부머리만 좋은 사람 말고 일머리가 좋은 사람, 성격이 좋아서 같이 일하고 싶은 사람, 논리적으로 말을 잘하는 사람, 책임감이 강한 사람 등 여러 가지 답이 나올 거야."

물론, 대학은 여전히 중요하다. 하지만 대학 말고 다른 조건도 상당히 중요하게 평가 받는 시대로 진입하고 있다. 4차 산업혁명의 시대는 지식이나 학벌보다 인공지능을 관리하고 창의적으로 새로운 것을 만들 수 있는 인재를 원한다. 인재가 되기 위한 준비를 20대 중반까지만 생각해도 남아 있는 시간은 충분하다. 20대 중반까지 최선의 노력을 다해 보자. 실제로 여러분의 선배들도 대학 졸업 이후 20대 중반~30대 초반까지 취업 또는 창업에 성공하기 위해 오랜 시간 공을 들이고 있다.

반드시 기억하자. 시간과 기회가 충분하니 고등학교 졸업 이후 대학 입시나 취업에 최선은 다하되, 다음 단계에서 충분히 잘될 수 있으니 마음의 여유를 가져도 좋다.

★ 여러분의 나이는 축구로 치면 이제 막 전반전 10분대일 뿐이다. 남은 80분간 골을 넣을 기회는 무수히 많이 남았음을 기억하자!

★ 인생은 10대 이후에도 여러 번의 기회가 있다. 희망사항이 아니다. 사실이다! 그 기회만 잘 살리면 평생 먹고살 수 있으니 벌써부터 스트레스 받지 말자.

꿈을 이루고 부자가 된 사람이
의외로 많기 때문에!

"강사님, 다른 사람들과 달리 '현실적인 사례'를 전달해 주셔서 너무 감사합니다. 학생들에게 정말 큰 도움이 될 것 같습니다"

강연을 하고 나면 가장 많이 듣는 이야기다. 교사들만 그런 게 아니다. 학생들도 마찬가지다. 왜 모두 '현실'을 이야기해 줘서 고맙다고 할까? 진로 교육에 무관심하던 아이들도 현실에서 벌어지는 진짜 사례들을 이야기하면 눈이 휘둥그레지며 "진짜요?"라는 말을 계속 한다. 나와는 너무 거리가 먼 위인 이야기, 상위 0.1%의 성공 이야기로 피부에 와 닿지 않은 사례들을 늘어놓으니 졸고 떠들고 딴짓을 하는 것이다.

인생은 길고 행복의 길은 다양합니다

"우와, 저도 저렇게 돈을 벌 수 있어요?"

"우리 사촌형도 공부 못했었는데 사업해서 부자 됐어요!"

"우리 삼촌은 지방대 나왔지만 대기업 들어갔어!"

학생들에게서 이런 말들이 터져 나오기 시작해야 진로 교육이 활기를 띤다. 우리는 이상을 꿈꾸되 현실을 살아간다는 사실을 잊지 말고 현실과 꿈의 균형을 잘 맞추어야 한다.

아이들은 생각 없고 철없는 존재가 아니다. 진로에 대한 걱정도 상당히 많다. 그렇기 때문에 현실을 바탕으로 한 생생한 어른 이야기, 주위 평범한 선배들의 성공기를 들려주며 공감을 이루어야 하고, 이를 통해 '현실적 동기 부여'가 되어야 한다. 진로 교육이 테슬라의 엘론 머스크, 애플의 스티브 잡스, 페이스북의 마크 저커버그 같은 글로벌 스타 기업가를 앞세우고 김연아, 손흥민, 류현진 같은 우리나라 상위 0.1% 스포츠 스타의 노력을 이야기하는 데서 그치면 안 된다.

다음을 한번 살펴보자.

■ 고등학교 1학년 때까지는 공부를 못했지만 2학년부터 열심히 공부

해 국립대인 경북대와 충남대를 들어간 선배

- 지방 국립대를 졸업하고 대기업에 들어간 수천 명의 선배들
- 지방 사립대에 진학했지만 그 학교에서 뒤늦게 열심히 공부해 대기업의 지방 인재로 채용된 수천 명의 선배들
- 지방 사립대를 진학하였지만 국가의 지역 인재 채용으로 공무원 / 공기업에 합격한 사례
- 카이스트 IP-CEO와 포스텍 영재 캠프를 통해 명문대 진학과 대기업 취업에 성공한 선배 이야기
- 3수 끝에 자신이 원하던 치과대학에 입학하여 이후 1년에 8억을 버는 치과의사가 된 선배
- 고등학교 졸업 후 국가 근로 훈련을 수료하고 현장에서 10년간 근무 이후 대기업 경력직으로 입사한 사례
- 지방 사립대 졸업 이후 푸드 트럭 협동조합을 만든 사례
- 춤과 노래라는 진로를 정하고 노력하다 음악 엔터테인먼트 회사 직원이 된 선배
- 공부는 못했지만 사업 감각이 좋아 편의점 3개를 운영하는 청년 CEO 사례
- 청년 창업으로 매출 200억 화장품 회사의 CEO가 된 선배
- 친구끼리 의류 쇼핑몰을 차려 1년에 50억 매출을 올리는 회사를 운영 중인 선배 이야기

실제 사례를 통해 희망을 주고 싶어 몇 가지 적어 보았다. 이게 전부도 아니고, 억지로 힘들게 찾은 예시도 아니다. '좋은 사례'는 우리 주위에서 얼마든지 더 찾아볼 수 있을 것이다. 우리가 생각하는 것보다 훨씬 더 많은 사람들이 다양한 진로 속에서 잘살고 있음을 분명히 알아야 한다. 또한 공부를 잘하면 유리한 것은 맞지만, 공부를 못한다고 무조건 인생이 나쁘게 결정되는 것도 아님을 명확히 깨달아야 한다. 꼭 여러분 주위의 사례를 찾아보고 부모님께 물어보기 바란다. 인생은 길고, 행복의 방법은 다양하다.

★꿈을 가지되, 현실과 꿈의 균형을 맞춰야 한다

★공부로 부자가 된 사람, 공부가 아닌 분야로 부자가 된 사례가 너무 많다.

★찾아보라! 물어보라! 여러분 주위에 현실적인 좋은 사례가 넘쳐날 것이다.

2장.

진로가
인생을
바꾼다

완벽한 현실 인식

재능이 부족하다고 걱정하지 마라.
인생에서는 진로가 재능보다 중요하다.

똑같은 볼펜이지만
메모지에 쓰면 낙서가 되고
일기장에 쓰면 일기가 되며
원고지에 쓰면 대본이 된다.

— 《비상》(양광모)에서

대학,
갈까 말까?

어른들은 여러분보다 경험이 많다. 오래 산 만큼 세상의
원리를 잘 이해하고 있다. 그런 어른들이 여러분에
게 '대학'을 가도록 독려한다. 왜 그럴까? 세상에는
여전히 학력으로 인한 차별이 존재하고, 현실적으
로 대학을 나와야 사회적 성공을 이룰 확률이 높
기 때문이다. 사회적 성공이란 많은 수
입, 안정된 직장, 하고 싶은 일을 할 수
있는 기회, 명예로운 일, 무시당하지
않는 직업 등을 꼽을 수 있다.

어른들이 대학에 가라 하는 이유

부모들이 자녀의 '진학 교육'을 가장 중요하게 생각하는 이유는
다음과 같다.

　　1) 고소득을 얻을 확률이 높다 = 부자가 될 확률

　　2) 사회적 이상과 명예를 얻기 쉽다

　　　　= 하고 싶은 일을 할 수 있는 힘

　　3) 취업과 창업 성공에 대학이 미치는 영향이 크다

　　　　= 대졸자 선호 현상

　　4) 더 나은 인격 형성과 높은 수준의 지식 축적 = 자아실현

　　5) 사회 전반의 학력 차별 분위기

　　　　= 고졸자에 대한 눈치, 무시, 차별에 대한 두려움

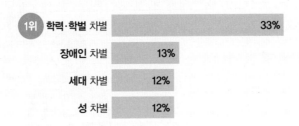

우리 사회의 차별 중 가장 심한 차별

- 1위 **학력·학벌** 차별 — 33%
- 장애인 차별 — 13%
- 세대 차별 — 12%
- 성 차별 — 12%

출처: KBS 뉴스(2019.01.03)

대학 진학은 여러분의 조부모와 부모 세대에게 가장 확실한 성공의 방법이었기에, 우리에게 자연스러운 교육문화가 되었다. 실제로 그 열매는 지금도 꽤나 확실한 편이다. 최근 조사에 따르면 고등학교 졸업자와 대학교 졸업자의 한 달 급여(일한 대가로 받는 돈) 차이는 약 60만 원이며, 대학교 졸업자와 대학원 졸업자의 한 달 급여 차이는 약 120만 원이라고 한다.

　　단순 계산이지만 한 달에 120만 원 차이를 30년으로 계산해 보면 약 4억3천만 원 차이가 된다. 대학 진학 여부가 30년 후 어마어마한 재산 차이로 귀결되는 것이다. 현실적인 평균 급여 차이가 이러하니 대부분의 부모가 자녀를 대학에 보내려고 하는 것이다.

　　"대학 안 가도 충분히 성공할 수 있어!"
　　"대학 안 가도 능력만으로 성공하는 시대가 왔습니다!"

　　나도 이렇게 말하고 싶다. 하지만 현실은 그렇지 않다. 대학에 가지 않아도 성공하는 경우가 전혀 없다는 게 아니라, 그 성공 확률과 평균 급여를 살펴본다면, 대학에 가는 것이 사회에서 얼마나 유리한 조건이 되는지 알 수 있다. 또한 대학 졸업장보다 개인의 능력이 중요한 시대가 온 것은 맞지만, 대학을 나오지 않으면 애초에 기회를 잡을 확률이 엄청 낮은 것도 사실이다.

그래서 이왕이면 공부를 잘해서 좋은 대학을 가라고 학생들에게 권유하는 것이다. 세상은 대학을 나온 사람들이 '설계'해 왔고, 대학을 나온 사람들이 대기업과 공기업에서 일하며 부자의 상당수를 차지하고 있기 때문이다.

대학 안 가면 안 돼?

듣기 좋은 말에 속지 말자. 가령 '대학을 졸업하지 않고도 성공한 사람이 많다'는 말을 흔히들 한다. 대표적인 성공 사례로 페이스북의 마크 저커버그, 애플의 스티브 잡스, MS의 빌 게이츠 등을 내세우며 그들이 고졸 학력이라는 점을 강조하기도 한다.

대학 졸업자가 아니라는 건데, 사실 그들은 모두 미국의 명문대에 입학한 수재들이었다. 졸업을 하지 않았을 뿐이다. 대한민국의 사정도 비슷하다. 고등학교만 졸업하고도 성공하는 경우가 분명 있지만 그런 사람들의 대다수는 천재형 고졸자이거나, 재능이 아주 특별한 고졸자였다.

다음의 예를 찾아보기 바란다. (어느 대학을 졸업했을까? 고등학교 졸업자가 얼마나 있을까?)

- 우리가 잘 아는 **대기업**의 회장, 사장, 상무, 이사, 부장, 과장의 학력을 살펴보자(삼성전자, 카카오, 네이버, 쿠팡, 티켓몬스터, 위메프, 넥슨, 미미박스, 마켓컬리 등).
- **대학 교수**의 학력을 찾아보자.
- 판사, 변호사 등 **법조계** 학력을 찾아보자.
- 의사, 간호사 등 **의료계** 학력을 찾아보자.
- 7급, 6급, 5급, 4급, 3급, 2급 **고위 공무원**의 학력을 찾아보자.
- 신문 / 방송 등 **언론계** 학력을 찾아보자.
- 교육감, 국회의원, 시장, 군수, 보좌관 등 **정치계**의 학력을 찾아보자.
- 최근 10년간 **행정고시** 합격자의 학력을 찾아보자.
- 우리가 쓰는 최신 앱을 개발하여 성공한 **창업자**들의 학력을 찾아보자.
- **중견 기업** CEO / 대표들의 학력을 찾아보자.
- 유명한 **예술가**들의 학력을 찾아보자.

아마도 높은 학력에 이름을 알 만한 대학을 나온 사람들이 대부분일 것이다. 쉽게 말해 고졸이라면 이처럼 전문적인 직업,

소득이 높은 직업, 안정성이 높은 직업을 구할 '기회'조차 주어지지 않는 경우가 대부분이다. 이것이 대한민국 '사회 시스템'의 현실이다.

그런데 여기에도 매우 중요한, 색다른 포인트가 있다. 대학 졸업 자체가 중요하지 꼭 'SKY'로 통칭되는 명문대 졸업이 아니어도 된다는 것이다. 실제로 대기업 최종 합격자들은 명문대뿐 아니라 서울 소재 대학교와 지방 소재 대학교까지 다양하게 있고, 최근에는 오히려 지방대생을 선호하는 현상도 나오고 있음을 명확히 알아야 한다.

이름	대학 여부	진로	월수입
박한열	의대	개원 의사	2천만 원
임윤수	서울권 대학	대기업	500만 원
이정아	지방 국립대	대기업	600만 원
윤정수	고졸	자영업 매장 3개 운영	2천만 원
조하은	지방 사립대	9급 공무원	200만 원
손미나	지방 국립대	벤처 기업 창업	3천만 원
김정수	고졸	중소기업 취업	300만 원

명문대를 졸업하지 않아도 성공한 삶을 살 수 있다.

강연에서 이러한 얘기들을 해 주면 학생들의 눈이 동그래진다. 왜? 반에서 공부 1등부터 20등까지 모두 기회가 열려 있다는 뜻이기 때문이다. 예를 들어, 반에서 20등 해서 지방 사립대에 진학했지만 졸업 후 대기업에 입사한 수많은 선배들의 사례들을 보여 주면 학생들의 충격과 감탄이 쏟아진다.

"쌤! 진짜 '인-서울'이 유리하긴 하지만 지방대, 국립대만 가도 좋은 곳에 취업할 수 있어요?"

"그럼! 세상이 그렇게 바뀌고 있어! 앞으로 더 그렇게 될 거야."

학력주의 사회를 깨뜨려야 한다는 말들을 많이 한다. 우리 사회는 그러한 방향으로 나아가고 있기도 하다. 그러나 현재의 대한민국 사회에서 부딪히는 생생한 현실을 바로 아는 것도 중요하다. 진학을 권하는 어른들에게 무조건 반감을 가지거나 부정적인 시각으로 볼 필요는 없다는 뜻이다.

ㅁㅁ~!!
학력주의 사회

진로톡 인생톡

★ 대학의 영향력이 줄어들고는 있지만 여전히 학벌은 유효하고, 대학을 졸업한 사람이 고등학교만 졸업한 사람보다 더 나은 대우를 받고 있는 것이 현실이다.

★ 현실에서 높은 소득을 얻고, 안정적 직업을 가지려면 대학 졸업은 필수라 할 수 있다. 고등학교 졸업만으로는 기회조차 없는 경우가 허다하다.

★ 고등학교를 졸업한 사람이 성공할 방법은 빠른 직업 교육을 통한 조기 취업과 승진이다. 취업을 먼저 한 후에도 사이버대학 등을 통해 대학 졸업장을 갖는 것이 사회생활에 도움이 된다.

속지 말자!
대학은 최종 목표가 아니다

"공부요? 좋은 대학 가려고 하죠!"

"그래야 좋은 회사 가잖아요."

"좋은 회사는 돈 많이 주고 편하니까요."

"돈 많이 벌어서 하고 싶은 것 실컷 하려고요."

결론부터 말하자면 여러분의 목적지는 취업과 창업이라는 진로이지, 대학이 아니다. "야호! 저 원하는 대학에 왔어요! 이제 소원 없어요~" 이렇게 생각하는 사람이 있을까?

분명히 알아야 한다. 대학은 원하는 곳에 취업하고 창업에 성공하기 위한 중간 과정이지 우리의 최종 목표가 아니다. "저는 대학에서 전문성을 기른 후에 4차 산업의 핵심이 되는 기업에 갈 거예요"라고 말하는 것이 올바른 방향이다. 대학에 가는 이유는 결국 취업과 창업이라는 진로를 설정하기 위해 가는 것이다.

공부를 못해도 '성공'할 수 있습니다

어떤 일을 하고 싶은지 진로를 먼저 설정하는 것이 중요한 이유는 진로에 따라 대학과 전공, 그리고 입시를 준비할 경험이 달라지기 때문이다. 예를 들어 '관광통역학과를 나와서 여행사에 취업해야 겠어!'라고 한다면 단순한 결정이 된다.

하지만, 여행을 좋아하는 성향에서 시작해 다양한 분야의 경험을 하며 여행 다큐 PD, 드론 촬영 전문가, 여행 유튜버, 또는 국내가 아닌 해외 취업까지 노릴 수 있게 된다면 아주 훌륭한 진로 탐색이 된다. 진로를 먼저 설정하고, 그 다음에 직업과 대학을 선택하는 것이다. 반면, 대학과 직업을 딱 정해 놓고 진로 설정이 끝났다고 한다면 올바른 진로 설정이 아니다.

"오~예스! 공부 못해도 성공할 수 있대요!"

진로 설정이 중요한 이유는 성적이 하위권이라 해도 진로 설정만 잘하면 사회에서 성공할 수 있기 때문이다. 평소 좋아하던 요리 분야에 전문성을 키워 식당 3개를 창업한 자수성가 청년 정우, 수십만 구독자를 확보한 유튜버 B씨, 월 천만 원의 소득을 올리는 부동산 공인중개사 민우 등은 진학과 상관없는 '진로 설정'으로 인생이 달라진 경우이다. 또한 애초부터 요리, 디자인, 공예, 애니메이션 등의 특성화고등학교나 마이스터고등학교에 진학하여 졸업과 동시에 취업하는 것도 좋은 전략이 되고 있다.

공부를 못해도 성공할 수 있다고 하면 학생들은 환호성을 지르며 좋아한다. "쌤! 정말로 공부 못해도 성공할 수 있어요? 저 공부 못해도 돈 벌 수 있어요? 공부 못해도 취업 돼요?"

그렇다. 공부와 진학에만 매몰된 사고 때문이지 학교에서 가르쳐 주지 않는 진짜 세상을 보면 아이들의 인생이 달라진다. 누구나 알고 있듯이 모두가 서울대를 갈 수도 없고, 모두가 공부 천재가 될 수도 없다.

공부를 잘하는 게 세상에서 유리한 것은 맞지만 창의성이 뛰어난 사람, 말을 잘하는 사람, 성격이 좋은 사람, 센스가 넘치는 사람, 매사 적극적인 사람, 요리 잘하는 사람 등 성공할 수 있는 자질은 수없이 많다. 사회에서는 공부머리도 중요하지만 일머리가 더 중요하기 때문이다. 그 본질을 꿰뚫어야 한다. 학교 성적이 잘 나오지 않거나 공부에 흥미가 없다면 다른 쪽에서 성공하면 되는 것이 우리 인생이다. 운동, 예능, 문화, 종교, 건축, 엔지니어링, 서비스업, 영업 등 공부를 못해도 성공할 수 있는 분야가 많음을 제대로 알아야 한다.

경제가 어려울수록 진로가 중요합니다

대한민국의 2020년 예상 경제성장률은 −2.3%라고 한다. 원래는 +1.5% 정도를 예상했지만 전 세계적인 질병 이슈인 코로나19로 인해 어쩔 수 없이 역성장을 할 수밖에 없다. 이렇듯 한국 경제가 어렵다 보니 기업에서 '신입 사원'을 채용하려는 움직임이 눈에 띄게 줄어들고 있다. 혹시나 뽑더라도 준비된 경력직, 진로 역량이 분명한 실무자를 뽑아 바로 현장에 투입시키려 하고 있다. 실제로 국내 대기업들은 2019년부터 정해진 때마다 직원을 뽑는 정규 채용 제도를 폐지하고 원하는 시기에 직원을 뽑는 상시 채용을 늘리고 있다.

지금 우리나라는 침체된 경제를 끌어올릴 성장 동력이 잘 보이지

않는다. 한국을 선진국으로 이끌었던 자동차, 조선, 화학, 유통 등 '전통 산업'이 정체되고 있기 때문이다. 물론 반도체, 바이오, 한류 산업 등 미래 유망 산업이 성장하고 있지만 반도체를 제외하면 시장 크기가 매우 작다. 또 새로 생겨나는 스타트업(첨단 기술과 아이디어로 도전하는 벤처 기업), 4차 산업 회사들의 규모는 아직 미미한 수준이다. 다시 말해 전통적인 일자리는 없어지거나 기계에 대체되고 있으며, 새로 생겨난 신규 산업의 일자리는 아직 시장의 크기가 작다는 것이다.

그런데 학생들은 이런 사실을 잘 모른다. 그래선 안 된다. 그저 열심히 공부만 하면 어떻게든 되겠지 하다가는 취업이라는 거대한 관문 앞에서 이리저리 휘둘리며 쩔쩔맬 수밖에 없다. 그래서 더 강조하고 싶다. 경제가 어려우면 그만큼 여러분의 미래는 밝지 못하다. 그러므로 경제 위기 상황을 인식하고, 어떤 산업의 기업이 유망할지 찾아보고, 그 산업이 가고 있는 미래 방향을 정확히 읽어야 한다. 다시 강조하지만 경제가 어려운 만큼 더욱 적극적으로, 취업에 유리한 진로 설정에 집중해야 한다.

이렇게 경제가 계속 어렵다면, 어떻게 해야 할까? 바로, 성공한 선배들을 따라 해야 한다. 가령 미술을 좋아한다면 진로를 확장해 웹툰, 영화 예술, VR 산업으로 진입해야 한다. 미술에 동양화, 서양화만 있는 게 아니기 때문이다. 또한 글을 좋아한다면 광고 카피라이터, 영화 평론가, 웹 소설 작가의 길을 열어 두어야 하고, 대기업에 취업하고 싶다면, 기업의 방향을 읽으며 해당 분야를 전공해야 한다.

만일 은행에 취직하고 싶다면 다시 한 번 생각해 보는 게 좋겠다. 로봇 지점, 자동화 은행 등으로 인력 감축이 전 세계적으로 확대되고 있기 때문이다. 잊지 말자. 미래를 읽어야 기업이 뽑아 가는 사람이 되고, 읽지 못하면 기업이 뽑아 가길 하염없이 기다리는 사람이 될 것이다.

★ 성적이 하위권이어도 진로 설정만 잘하면 사회에서 성공할 수 있다.

★ 사회에서는 공부머리보다 일머리가 중요하다.

★ 전통적인 일자리는 점점 없어지거나 기계에 대체되고 있다. 한두 개 직업만 고집할 게 아니라 진로를 확장해 넓은 시야를 갖추고, 현재가 아닌 미래에 유망한 산업에 주목해야 한다.

'진로'를 잘 정하면
인생이 바뀐다

진로의 정확한 이해

"진로 교육 하신다고요? '직업' 교육 말씀하시는 거죠?"

"아닌가요? 그럼 진로 교육이 정확히 뭐지요?"

많은 어른들이 하는 질문이다. 그럴 때마다 쉽게 설명을 드린다.

"진로 교육은 한마디로 '취·창·인' 교육입니다. 취업 교육, 창업 교육, 인생 교육을 말하는 거죠. 취업이 잘 되는 길을 배우는 교육, 기업가 정신을 키우는 창업 교육, 그리고 삶을 잘 살아갈 인생 교육이 모두 이루어져야 제대로 된 진로 교육이 됩니다."

어른들 대부분이 헷갈려하는 직업 교육은 진로 교육의 하부 개념이다. 직업 교육이 틀렸다는 말이 아니다. 분명한 직업관이나 장래희망이 있는 것은 좋은 일이다. 하지만 성인이 되었을 때 학창 시절에 희망하던 직업을 갖게 되는 확률은 매우 낮고, 상황에 따라 직장을 옮기거나 직업을 바꾸는 경우가 워낙 많다. 그렇기 때문에 '진로'라는 넓은 의미의 교육을 하는 것이 맞다. 그래야 우리 학생들이 더 나은 미래를 보장받고, 경제적 안정을 누릴 수 있기 때문이다.

가령, 자동차 정비가 꿈인 동호가 있다. 동호가 마이스터고등학교에 입학해서 자신의 꿈을 향해 달려가기로 한 것은 1차적으로 옳은 결정이다. 그러나 2차적으로는 자동차 정비 분야를 더넓게 확장해야 한다. 흔히 말하는 카센터에 취업하는 것이 목표가아니라, 카센터를 창업할 수도 있어야 하며 카센터를 프렌차이즈

화해서 전국으로 확장할 수도 있어야 하는 것이다.

또한 부품을 수입해 부품 유통을 할 수도 있고, 외제차 튜닝 전문 사업을 할 수도 있고, 혹은 전기차 전문 정비사가 될 수도 있다. 이처럼 관심 분야에 대해 무한 확장을 상상하고 준비하는 것이 바로 진로 교육의 바람직한 방향인 것이다.

진로 교육을 한번 정리해 보자!

1. 취업 교육

- 특성화 고교의 전문 교육, 대학 전공 능력
- 사업 기획력, 마케팅 역량, 영업 역량, 창의력
- 팀원과의 협업 능력, 둥근 성격, 말하기 능력, 글쓰기 능력

2. 창업 교육

- 리더십, 넓은 배포, 경제 감각 높이기 훈련
- 재무 공부, 경영, 기술, IT 프로그래밍, 창의력
- 기업가 정신, 사회적 나눔

3. 인생 교육

- 돈 공부 : 돈을 관리하고, 돈을 잘 운영해서 더 불리는 방법

- 자기 주도성 / 생활력 : 이끌어 가는 사람 vs 이끌려 가는 사람

- 모방력 : 따라만 하면 중상위권이 되는 비법

- 창의력 : 부자들의 숨겨진 비밀

- 문제 해결 능력 : 모든 분야 성공한 사람들의 공통 속성

- 외모 : 패션 센스, 피부 관리, 깔끔한 이미지 등

진로 교육을 이렇게 명확히 정리해 두는 이유는, 진로 교육을 직업 교육으로 잘못 알고 좁은 시야에서 협소하게 준비하지 않기 위해서다. 현실적으로 여러분이 고등학교 혹은 대학교 졸업 이후 사회에 진출할 때에는 넓은 진로 범위 안에서 직업을 선택하게 된다. 그러므로 특정 직업이 목표가 되어서는 안 되고, 직업이 포함된 진로라는 넓은 범위 안에서 자유롭게 선택할 수 있어야 한다.

진로와 직업은 다릅니다

진로 교육은 인생 교육이지 직업 교육이 아니다. 졸업 이후 성인

으로서 취업과 창업이 잘되는 역량을 키우는 교육이고, 인생을 잘 살아갈 방법을 배우는 교육이다.

윤수와 아영이, 두 친구의 가족을 예로 들어 진로 교육이 얼마나 중요한지 한번 살펴보자.

두 사람 모두 10대 청소년 시절 미술을 좋아했다. 윤수의 부모님은 윤수를 미술학원에 보내 아이의 능력이 더 꽃피우길 바랐고, 국내 대회에서 상을 받을 때마다 큰 희망을 품었다. 1등은 아니어도 우수상과 장려상은 매번 수상했다. 아영이는 윤수처럼 상을 받진 못했지만 윤수만큼 미술을 좋아했다. 두 아이의 진로는 어떻게 달라졌을까?

아영이의 부모님은 제대로 된 '진로 교육'을 시작했다. 미술의 의미를 순수 미술로 좁히지 않고 디자인 영역으로 확장하여 딸을 교육한 것이다. 아영이는 2년간 동양화와 서양화의 구분을 넘어 과자 포장 디자인, 광고 디자인, 만화 따라 그리기, 건축물 그리기 등 다양한 미술 경험을 쌓았고, 결국 '건축'을 전공으로 선택했다. 순수 미술에서 건물 디자인으로 인식을 확장했고, 부모님과 함께 '도시 미관을 바꾸는 사회 활동' 등을 참여해

보며 진로에 대한 확신을 가졌기 때문이다.

반면 윤수는 순수 미술을 지속적으로 훈련하며 미술대학교 서양화과에 입학했다. 그림 그리기가 꿈이었던 윤수는 꿈을 이루었다는 생각에 기뻐했다. 하지만 기쁨은 잠시였다. 1학년을 마치자마자 졸업 후의 취업 현실이 보이기 시작했고, 본격적인 진로를 고민하기 시작했다. '선배들을 보면 취업이 쉽지 않은 것 같은데 나도 유학을 다녀올까? 유학 다녀온다고 반드시 교수가 된다는 법도 없는데 어쩌지? 흠…….'

윤수도 졸업한 선배들을 찾아 만나보고, 진로 상담을 시작했다. 그리고 순수 미술이라는 분야 안에서 본인의 현실적인 실력을 바라보기 시작했다. '나도 잘 그리지만 주위에 잘 그리는 사람이 정말 많구나. 게다가 미술로 취업하는 게 쉬운 일이 아니구나. 미술학원을 차리는 것도 어렵고 말이지. 그럼 내가 좋아하는 걸 해볼까?' 윤수는 평소 관심이 많던 게임과 미술을 융합한 게임 디자이너로 진로를 변경하기로 마음먹었다.

누가 더 훌륭한 선택을 했는지 판단할 필요는 없다. 반드시 고소득과 정규직만이 행복의 기

준이 되는 것도 아니다. 중요한 점은 아영이와 윤수 모두 '자기 객관화' 작업을 통해 자기 실력에 대해 현실적인 평가를 내리고 솔직하게 자신을 바라보았다는 것이다. 그리고 시야를 넓혀 '건축 디자이너'와 게임 디자이너라는 미술의 한 분야로 진로를 설정했다. 이 점을 주목해야 한다. 그렇게 해서 아영이는 지금 한 달에 1천만 원을 버는 고소득 건축가가 되었고, 윤수 역시 1년에 6천만 원을 받는 게임 회사 직원이 되었다. 두 친구 모두 현실 분석과 진로에 대한 판단이 좋았고, 그 결과 직업의 확장을 통해 꿈을 이루었다.

미국인들은 평생 동안 7.2회 직업을 바꾼다고 한다. 최근 한 조사에 따르면 우리나라 직장인은 원하는 조건(연봉, 복지, 회사 분위기, 직무 적합성 등)을 이루기 위해 10년간 평균 4회 직업을 바꾸고 있다고 한다. 또한 자신의 전공을 살려 취업하는 경우는 35%를 넘지 못한다는 통계 조사도 있었다. 실제로는 20%가 안 될 것이라는 분석도 있다.

쉽게 말해 대학에서 배운 전공을 살려 먹고사는 사람은 100명 중에 10~30명 정도이고, 나머지 70~90명은 전공과 무관한 일을 한다는 것이다. 현실적으로 이렇게 직업을 빈번히 바꾸고 직장을 옮기는데, 학생 때에는 왜 하나의 직업에만 몰두하는 잘못된 진로 교육을 하고 있을까?

인생이라는 도로에서 운전하기

인생은 도로를 통해 목적지로 향하는 경주이다. 이 도로는 여러 방향으로 열려 있고, 도로의 폭은 생각보다 넓으며, 목적지를 정해 놓고 빨리 가거나 정확히 가야 한다. 그 도로 위에서 우리는 한 차선만 달리며 하나의 직업만 생각할 수도 있고, 차선을 마음껏 변경하며 넓은 범위의 진로를 설정할 수도 있다. 그 과정에서 누군가는 명문대라는 비싼 차, 스포츠카를 타고 남들보다 앞서 가기도 하고, 또 누군가는 경차, 승용차, 승합차로 사고 없이 목적지에 잘 도착하기도 한다.

　어쩌면 인생이라는 도로를 달리는 도중에 목적지가 바뀌어 유턴(자동차가 U자 모양으로 돌아 반대 방향으로 가는 것)이 필요할 때도 있을 것이다. 서울을 목표로 가다가 인천으로 방향을 바꿀 수도 있고, 유턴하여 반대로 부산으로 갈 수도 있다. 그것이 인생이다. 다른 진로로 직업을 완전히 바꿀 수도 있는 것이다.

　그러니 우리는 1차선 도로만 고집하며 갈 게 아니라 2차선, 3차선으로도 얼마든지 갈아탈 수 있어야 한다. 또한 차선을 옮기기 위해서는 양옆과 앞뒤를 수시로 보아야 하며, 실제로 뛰어난 운전 역량이 필요하다. 즉, 한 가지 직업만 목표로 운전하기보다는 진로라는 넓은 길에서 원하는 대로 이동할 수 있도록

68

훈련하고 역량을 길러야 한다.

10대 시절은 도로 주행 연습이라 생각하자. 연습을 제대로 해서 자신 있게 세상이라는 도로에 나와야 한다. 실제로 회사들이 당신의 운전 실력을 보고 채용하기 때문이다.

이제 우리는 포괄적인 진로 역량, 인생 역량을 키워야 한다. 수많은 이직(직장을 그만둠)과 전직(직업을 바꿈)이 현실이고, 이직과 전직을 잘할 수 있는 역량을 길러야 한다. 그것이 지금 성공하는 선배들의 특징이자 현실적 조언이다.

진로는 계속 바뀝니다

10대의 시간 대부분을 쏟아 부으며 대학 진학에 성공해도, 대학의 전공을 살려 취업하는 사람은 많지 않다. 전공을 살리지 않는 것인지 살리지 못하는 것인지는 제각각 다르겠지만, 분명한 것은 많은 사람들의 진로가 전공과 무관하다는 것이다.

고등학교 때 반에서 1~3등을 유지하며 사범대학에 입학한 경우를 보자. 사범대학은 교사가 될 수 있는 자격과 기회를 주는 학과이다. 그런데 사범대학에 들어갔다고 모든 사람이 임용고시를 준비할까? 실제로 임용고시를 준비하는 학생은 50% 미만이다. 나머지는 다른 일을 알아보고 있다. 과학 전공자는 기상청이나 관련 연구 기관에 취업하기도 하고, 수학 전공자는 통계청, 은행 관련 직종으로 나아가기도 한다. 사범대에 들어갔지만 의학전문대학원, 로스쿨로 방향을 트는 사람도 많다. 물론 임용고시에 도전하는 사람도 있다. 하지만 첫 시험에 합격하는 경우는 매우 드물고 재수, 삼수, 사수를 하며 합격한다.

대한민국의 취업이 대부분 위와 비슷하다. 예를 들어 지질학(지구과학)을 전공한다 해도 지진, 우주, 철강, 석탄, 석유, 지하수, 건설 회사 등 세부 전공이 달라짐에 따라 서로 다른 직업을 갖는 사람이 많다. 게다가 이렇게라도 전공을 살려 취업하는 경우는 극소수다. 바늘구멍 같은 취업난을 뚫지 못하고 채용 인원이 많은 9급 공무원, 경찰공무원, 소방공무원, 법원직 공무원 등을 지원하기도 한다. 사람을 많이 뽑는 영업직으로 취업하거나, 여러 가지 경로를 통해 전공과 상관없는 취업을 하는 경우도 많다.

"야! 너 직장 옮겼어?"

"야! 네가 이 일을 한다고?
와~ 상상도 못했다!"

이렇게 진로가 변경되는 일이 비일비재한 이유는 어려운 경제 상황 때문이다. 경기가 좋지 않아 채용이 많지 않으니 일찌감치 전공은 포기하고 취업 확률이 높은 쪽으로 진로를 변경하게 되는 것이다.

대학 생활을 하며 자신의 다른 적성을 발견하면 다행이다. 귀농을 하거나, 청년 창업을 하는 사례도 있다. 농사를 전공으로 한 학생도 있지만, 농촌에 대한 로망과 농촌의 가능성을 보고 뒤늦게 귀농하는 사람도 상당히 많다.

또한 국가적으로 청년 창업 지원금이 최대 1억까지 지원되고, 젊음을 무기로 도전을 하는 경우도 많기에 창업이 조금씩 늘고 있다. 식당 창업, 디자인 창업, IT 플랫폼 창업자들의 이력을 보면 대부분 원래 전공과 다른 경우가 많다. 뒤늦게 꿈을 발견하고 실현한 것이다.

만일 대학에 진학하고 자신의 전공을 살리고 싶다면 '취업 확률'이 높은 전공을 정확히 알아봐야 한다. 의학, 사범, 공학, IT(정보기술), 디자인 계열은 취업 확률이 높은 편이고 인문, 사회, 자연 계열은 확률이 낮은 편에 속한다. 앞으로 다가오는 10년 역시 마찬가지일 것이다. 전공을 살리지 못한다는 것은 해당 분야의 취업 상황이 매우 어렵다는 것을 의미한다.

꼭 기억하자! 앞으로의 진로는 생각보다 훨씬 많이 변경될 것이다. 그러니 20대 중후반까지는 진로 탐색의 시기라고 여유 있게 생각하며 적응력, 기획력, 컴퓨터 처리 능력, 디자인 능력, 사람과 잘 어울리는 능력 등 실무 능력을 길러야 한다. 그것이 앞으로 계속 변화할 미래 사회의 직업 변화 속에 살아남을 무기이기 때문이다

★ 진로 교육은 취업 / 창업 / 인생 교육이다

★ 진로 교육은 직업 교육이 아니다.

★ 현실적으로 원하는 직업을 얻을 확률은 사실 매우 낮다. 그래서 진로가 자주 바뀌는 것이다.

취업할까? 창업할까?
뭐가 좋을까?

우리나라는 19세가 되는 순간 성인으로 인정받는다. 이는 자기 먹고살 일은 자기가 알아서 챙겨야 하는 것을 의미한다. 정말 힘들고 고달픈 일이다. 생각보다 세상은 차갑고 무섭다. 학교에 있을 때는 세상의 어려움을 모르고 있다가 졸업을 하면 그제서야 세상의 한파를 온몸으로 느끼게 된다. "공부할 때가 편한 거야"라는 말을 하는 어른이 있다면 그런 이유에서다. 여러분의 선배들도 졸업하기 전에는 몰랐던 이 취업난을

뚫고자 지금 이를 악물고 악착같이 노력하고 있다.

취업과 창업, 무엇을 선택할까?

우리는 결국 취업하거나 창업해야 할 운명에 놓여 있다. 농사를
짓는 것도, 유튜버가 되는 것도 개인 사업자로 창업을 하는 것이

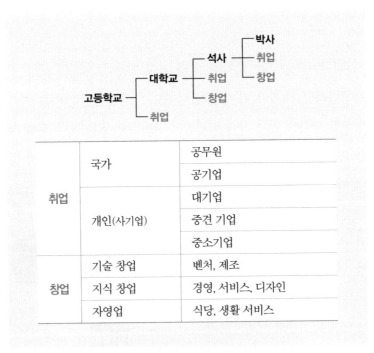

취업	국가	공무원
		공기업
	개인(사기업)	대기업
		중견 기업
		중소기업
창업	기술 창업	벤처, 제조
	지식 창업	경영, 서비스, 디자인
	자영업	식당, 생활 서비스

10대, 20대에 선택하게 되는 취업과 창업의 종류

고, 공무원이 되는 것도 결국 국가 기관에 취업하는 것이다. 우리는 싫든 좋든 취업이나 창업을 선택해야 하고, 그 시기를 고등학교 이후인지, 대학교 이후인지 정해야 한다.

나의 사촌은 서울에서 꽤 큰 치과를 경영하고 있다. 치과대학 동기와 함께 치과를 창업한 것이다. 치과에는 그들 말고도 여러 명의 의사가 월급을 받으며 근무하고 있다. 이처럼 똑같이 의대를 졸업하더라도 누군가는 병원에 취업하고, 누군가는 병원을 창업한다. 교육직은 어떨까? 누구는 학원을 창업하고, 누구는 교사가 되어 학교에 취업한다. 소방관은 국가 기관인 소방서에 취업한 것이고, 소방용품을 만들어 납품하는 사람은 소방 관련 업체를 창업한 것이다.

가수 박재범은 JYP에 취업했다가 나와서 AOMG를 창업한 것이고 로꼬, 후디, 그레이는 AOMG에 취업한 것이다. 싸이는 YG에 취업했다가 스스로 기획사를 창업했고, 제시와 크러쉬는 그러한 싸이의 기획사 피네이션에 취업했

다. 누구나 이렇게 취업이나 창업을 한다.

취업		창업	
장점	단점	장점	단점
고정 수입	꽉 막힌 스케줄	큰 돈을 벌 가능성	퇴직금, 복지 없음
안정성	정년/퇴직 이후 불안감	좋아서 하는 일	안정성이 떨어짐
복지 제도	성과/진급 스트레스	자유로운 분위기	매출 스트레스

취업과 창업의 장단점 비교

스스로를 생각해 보자. 취업을 하고 싶은가? 창업을 하고 싶은가? 하나는 꼭 해야 하는데 무엇을 하면 좋을까? 둘은 다른 매력이 있다. 취업을 하면, 내가 큰 사고만 치지 않으면 거의 정년(일정한 연령에 퇴직을 정해 놓음. 보통 만 60세)이 보장되는 장점이 있다. 공무원, 공기업이라면 더욱 그러하다. 반면, 창업은 성공하기까지 시간이 오래 걸리거나, 사업이 망할 수 있는 위험성이 있다. 하지만 취업했을 때보다 훨씬 큰 돈을 벌 가능성이 있고 자신이 모든 결정을 하며 자유로운 스케줄로 일을 조절할 수 있다.

취업할 것인가? 창업할 것인가? 누구나 꼭 한 번 고민해야 할 문제다. 치열하게 고민하고 준비해서 세상에 나오는 사람과 고민 없이 나온 사람은 이후의 과정과 결과가 다르기 때문이다.

★ 성인이 되면 누구나 취업과 창업 중에 선택해야 한다. 고등학교 졸업 이후와 대학교 졸업 이후로 시기가 다를 뿐이다.

★ 취업을 하면 안정적이라는 장점이 있고, 창업을 하면 큰 돈을 벌 기회가 생기고 스스로 결정하는 자유가 있지만 그만큼 위험 부담이 크다.

취업에 성공한 선배들의
4가지 비결

"아빠, 나 회사에 붙었어! 취업 성공했어!"

"장하다, 우리 딸! 정말 수고했다!"

몇 년 전부터 취업에 성공하는 것이 고시에 합격하는 것과 같은 수준으로 변화했다. 앞서 살펴본 대로 경제가 어렵기 때문이기도 하고, 뛰어난 사람들이 많아 경쟁이 점점 치열해지기 때문이기도 하다. 취업에 성공하려면 30대 1의 경쟁률쯤은 기본이고, 500대 1이 넘는 경쟁률도 듣게 된다. 이렇게 취업이 어려운 시대에, 취업에 성공하는 선배가 있다면 어떨까? 그 사람들의 사고방식과 습관, 취업 준비 과정을 따라 하면 취업 확률이 높아지지 않을까?

첫째, 누가 봐도 스펙이 좋다

"스펙이 필요 없는 사회를 만들어야 합니다! 이제 점점 블라인드 채용으로 바뀌고 있으니 스펙이 부족해도 희망을 가지세요."

이런 말을 하는 사람도 있지만, 이는 아직 현실이 아니고 이 상일 뿐이다. 오른쪽 표를 살펴보자. 실제 대기업 / 공기업 합격자

	기업명	지원 분야	학교	학점	영어		
					토익	오픽	토익스피킹
1	삼성SDI	해외 영업	한양대	4.05	895	IM	없음
2	IBK은행	은행원	경북대	3.97	775	IM	없음
3	롯데케미칼	연구 개발	디지스트	4.23	915	IM	없음
4	LG화학	생산 기술	부산대	4.01	875	없음	레벨6
5	GS리테일	영업 관리	단국대	3.97	920	없음	레벨7
6	KT&G	유통	인천대	4.05	805	IH	없음
7	SK이노베이션	연구 개발	성균관대	3.7	790	없음	레벨6
8	현대자동차	연구 개발	중앙대	3.9	860	없음	레벨6
9	삼성전자	연구 개발	충남대	3.8	840	IH	없음

대기업과 공기업 합격자들의 평균 스펙(출처 : 스펙 에듀스)

들의 평균 스펙 능력치이다(여기서 스펙은 대학 간판, 어학 실력, 전공 능력, 토론 능력, 대외 활동, 직무 관련 활동, 한국사 능력, 컴퓨터 능력, 토론 능력 등 지원자의 직무 역량을 나타내는 단어이다). 합격자들은 누가 봐도 좋은 스펙을 갖추고 있다.

　왜 대기업의 채용 결과는 늘 좋은 대학 졸업자, 스펙이 빵빵한 사람들로 채워질까? 1차 서류 심사에서 스펙을 중심으로 필터링이 이루어진 후 2차·3차 면접을 실시하기 때문이고, 면접에서 대화를 하다 보면 공부를 열심히 한 사람, 전공 능력이 뛰어난 사람, 직무 역량이 훌륭한 사람이 자연스레 구분되기 때문이다. 어찌 되었든 결국 스펙 좋은 사람들이 먼저 뽑히고 있다는 사실을 알아 두고, 스펙을 기르는 삶을 살지, 혹은 스펙과 무관한 삶을 살지는 스스로 잘 결정해야 한다.

둘째, 적극적이고 도전적이다

자기 주도성은 인생의 선택권을 내가 가진다는 것이다. 쉽게 말해 누가 시켜서 하는 게 아니라 스스로 하는 것이며, 수동적이 아닌 능동적인 삶의 자세를 나타낸다. 하지만 능동적이라는 것보다 더 정확한 단어가 있다. 바로 '적극적'이라는 단어이다.

대학생들은 누구나 진로에 대한 불안감을 느끼고 있기 때문에 대부분 능동적으로 취업을 준비한다. 그러나 적극성의 차이로 승패가 갈리는 경우가 많다. "나 정말 열심히 했는데, 억울해요"라는 말을 하는 사람이 많은데, 열심히 했다는 것은 맞다. 그런데 지원자들 중에 열심히 하지 않는 사람이 있을까? 세상은 더 적극적으로 노력한 사람이 합격하는 것일 뿐이다.

이 책을 읽는 여러분도 마찬가지다. 누가 시키지 않아도 스스로 책을 펴고 공부하는 것은 칭찬받아 마땅하지만, 이 정도 노력은 성공하려는 사람에게는 평범한 노력이라 할 수 있다. 그보다 더 적극적으로, 내가 가고 싶어 하는 대학에 합격한 선배를 직접 만나 보면 어떨까?

"선배님, 제가 궁금한 게 많은데요. 저 한 번만 만나 주시면 안 될까요? 정말 간절해서 이렇게 부탁드립니다." 이러한 메시지를 블로그 댓글로 남기거나 페이스북을 통해 전달하거나, 지인을 통해 소개를 부탁해 보자.

대학 입시에서 예체능 실기 시험을 준비하던 고등학생 예은이는 자기보다 먼저 시험을 치러 본 선배의 조언을 듣고 싶어서 대학교 1학년 선배를 만나기로 했다. 예은이는 묻고 싶은 내용을 꼼꼼히 적어 갔고, 선배는 예은이가 준비한 질문지를 보고 그 간절함과 적극성에 감탄하며 자기가 경험한 입시 준비의 모든 것과 자신이 생각하는 진솔한 조언들을 아낌없이 들려주었다. 이러한 간절함과 적극성이 나만 아는 정보로 돌아와 내 인생이 달라진다는 것을 깨달아야 한다.

셋째, '경험치'가 다르다

최근 10년간 대기업과 공기업에 취업한 사람의 공통점을 조사해 본 적이 있다. 합격자들의 공통점은 바로 '경험치'가 다르다는 것이었다. 이는 전공 관련 경험, 학교 밖 경험이 다른 사람과 비교하여 특별함이 있음을 의미한다. 면접관들이 이 '경험'을 주시하는 것은 학교 안에서 배운 지식만으로는 회사 생활을 하기에 부족함이 많다고 생각하기 때문이다.

"저는 OO 회사에서 인턴으로 일한 경험이 있습니다!"

"저는 대학 시절 OO 프로젝트를 하며 실제 기업 현장에 이론을 적용하는 경험을 했습니다!"

이렇듯 기업은 학교에서 배운 지식을 넘어, 그보다 한발 앞선 수준의 지식과 경험을 요구하고 있다. 왜냐하면 기업은 이론이 아닌 실무 현장이기 때문이다. 큰 단위 돈이 오가고 첨단 기술을 바탕으로 한 아이템이 경쟁하는 곳이기에, 실무에 바로 투입될 수 있는 '선수'를 뽑고 있는 것이다.

실제로 기업들은 전공 프로젝트 경험, 조직 생활 경험, 방학 인턴십(학생들이 기업에서 하는 일을 체험하며 실무 역량을 키우게 하는 제도), 계약직(일정 기간을 정해 놓고 일하는 것) 경험 등을 가점으로 여기고 있다. 쉽게 말해 대학생 꼬맹이가 아닌, 어른스러운 대학생을 원한다는 것이고 20대지만 30대 같은 신입을 원하고 있다는 뜻이다. 몇몇 회사들은 아예 경력직 사원을 우선으로 뽑고 있기도 하다. 그러니 학교 공부만 열심히 한다고 끝나는 게 아니다. 초중고 시절부터 다양한 경험을 쌓으며 대학과 회사에 자신 있게 내보일 수 있는 역량을 키워야 한다.

넷째, 유재석처럼 말을 잘한다

개그맨 유재석은 말을 잘하는 것으로 유명하다. 그는 상대방에 대한 배려가 많고 누구와도 친근한 대화를 이끌어가는 능력이 있어 동료 연예인들에게도 인기가 높다. 그런데 취업에 성공한 선배들 역시 유재석처럼 '말을 잘한다'는 공통점이 있다.

취업을 하려면 누구나 1차적으로 자기소개서를 쓰거나 2차에서 면접을 봐야 한다. 하지만 합격이 판가름 나는 것은 결국 2차 실전 면접을 통해서인데, 이때 자기를 어떻게 어필하고, 얼마나 말을 잘하느냐에 따라 인생이 바뀌게 된다. 실제로 기업의 인사 담당자들은 "맞던 틀리던 자기 생각을 조리 있게 논리적으로 말하는 사람을 좋아한다"고 한다. 그러니 취업에 성공하려면 평소에 논리적으로 말하는 습관을 길러야 한다.

"윤아는 말 하나는 기가 막히게 잘해 논리적으로는 당할 사람이 없을걸?"

"윤수는 말을 참 예쁘게 해. 누구든 기분 좋게 만드는 재주가 있어."

또한 회사에서 상사나 동료들과 원만한 관계를 유지하려면 존중과 배려가 담긴 말투를 사용해야 한다. 회사에서는 일은 잘하는데 건방지고 자기밖에 모르는 사람, 불쾌한 말을 툭툭 내뱉고 자기중심적인 말투를 가진 사람을 좋아하지 않기 때문이다.

가령 "에이~ 그건 아니지." "뭔 소리야~ 너 틀렸어." "야! 이거 해." "웃기고 있네!" 등 부정적인 말, 불평하는 말, 말을 끊는 말, 예의 없는 말을 하는 사람은 사회에서 안 좋은 이미지로 낙인찍히기 때문에 반드시 고쳐야 한다.

하나만 기억하자. 논리적으로 설득력 있게 말을 잘하고, 누구에게나 호감을 주는 말투를 가졌다면 면접에서 대단히 유리하다. 지방대 졸업자라 하더라도 기업에서는 훨씬 높은 가산점을 주며 뽑아 가려 할 것이다.

★ 취업이 잘되는 사람은 스펙이 좋다. 스펙은 공부만이 아니라 '역량'을 의미한다.

★ 남들보다 조금이라도 더 적극적으로 하라. 그럼 남들보다 더 잘 뽑힌다.

★ 밖으로 많이 다니고 정리하라. 경험이 쌓여 성취가 되고 스펙이 된다.

★ 유재석, 전현무, 김구라처럼 말만 잘해도 세상은 서로 모셔 가려고 난리다.

1년에 3억 이상 버는
창업 선배들의 4가지 비결

"쌤, 진짜 1년에 3억 이상 버세요?"

"쌤, 창업하면 진짜 부자 되나요?"

학생들을 만나는 진로 특강에서 많이 듣는 질문들이다. 학생들은 실질적인 창업 과정과 돈 버는 방법을 무척 궁금해한다. 나는 언제나 솔직하게, 구체적으로 대답해 준다.

"음, 처음에는 나도 한 달에 200만 원도 못 벌고 하루에 4시간 자면서 일했었어. 그런데 지금은 회사도 몇 개 운영하고, 재테크도 열심히 해서 일 년에 수억은 벌고 있지."

이렇게 돈 이야기를 하면 아이고 어른이고 모두 눈이 초롱초롱해진다. 돈은 그러한 힘이 있다.

그래서 강연 때마다 돈 이야기를 자주 하고 주기도 한다. 돈 싫어하는 사람을 보지 못했고, 실제로 선배들의 진로 준비에 '돈'이 중요한 동기 부여가 되고 있기 때문이다. 유대인 가정과 해외 선진국에서는 구체적인 경제 교육을 통해 돈의 올바른 활용, 창업가 정신으로 연계하며 훌륭한 CEO를 만들어 내고 있다. 이 책에서 다루는 '창업가로 성공하는 사람들의 비밀 4가지'를 강연에서 들려주면 아이들은 주먹을 불끈 쥐고 다짐하는 모습을 보여 준다. 왜 그런지 아래의 내용을 살펴보자.

첫째, 역시나 스펙이 좋다!

여기서 스펙이 좋다는 것은 IT 기반의 스타트업(신생 벤처 기업) 창업자들의 스펙을 의미한다. 앞서 말한 자

영업 창업자와 지식 창업자(강연, 컨설팅 등)는 학벌이나 개인 스펙이 부족해도 다른 능력으로 성공하는 경우가 꽤 있다. 하지만 IT를 기반으로 한 스타트업 회사들은 대부분 학벌이 좋거나 해당 분야 스펙이 뛰어나다.

왜 그럴까? 말 그대로 기술을 구현하려면 전문 지식이 많아야 하고, 기술을 실제로 운영할 수 있어야 하기 때문이다.

정부로부터 창업 지원금을 받고 벤처 투자를 받는 회사 구성원들의 이력을 찾아보면 좋은 대학, 깊은 전공 능력, 해당 분야 취업 경력의 스펙을 가지고 있다. 이는 거꾸로 말하면 이러한 스펙이 없으면 투자를 받지 못한다는 것과 같다.

현장에서 계속 '현실' 이야기를 하다 보면 간혹 이런 질문을 받을 때가 있다.

"너무 현실적인 내용을 알려 주어서 아이들이 벌써부터 지치진 않을까요?"

일리 있다. 학생과 어른 모두 너무 무거운 현실을 이야기하면 기운이 빠질 수 있다. 그럼에도 불구하고 이러한 현실 기반 이야기를 하는 이유는, 여러분 선배들이 현실을 모른 채 세상에 나오게 되어 고생을 하고 있기 때문이다. 그리고 그 고생을 여러분은 안 했으면 해서이다. 스펙이 좋아야 취업도 성공하고 창업도 성공한다는 현실을 제대로 알 필요가 있다. 꼭 시간을 내서 아래의 스타트업 CEO의 학력을 찾아보기 바란다.

카카오, 당근마켓, 럭스로보, 쏘카, 타다, 마켓컬리, 에임, 강남언니, 청소연구소, 두나무, 우아한형제들, 집닥, 화해, 링크샵스, 플리토, 밀리의 서재, 숨고, 클래스101, 탈잉, 뱅크샐러드, 에임

둘째, 도전적이며 자유로운 성향

도전적이라는 말은 취업 선배들의 비밀인 '자기 주도성'과 비슷하지만 약간 다른 의미를 가지고 있다. 둘 다 적극성을 기반으로 하지만 창업가들은 위험을 인지하고도 도전하는 경향이 있고, 개척정신과 '아 몰라~ 들이대' 정신이 습관화되어 있다.

18세에 창업하여 기업가치 1조에 달하는 기업을 만든 무신사의 조만호 대표, 19세에 창업하여 15년 만에 2,000억 자산가가 된 스타일난다의 김소희 대표, 잘 다니던 대기업을 나와 갑자기 샴푸를 만들어 3년 만에 사옥을 지은 쿤달의 김민웅 대표 등은 모두 세상에 호기심이 많고 자유로운 사고를 가진 데다 도전적인 성향이 강한 청년이었다.

이들이 부자가 된 이유는 도전 정신과 자기 주도적인

인생 설계에서 답을 찾을 수 있다. 도전하지 않으면 돈은 쫓아 오지 않는다. 뭔가를 실행하고 일을 벌려야 돈이 쫓아 오고, 도전이 계속되어야 내공도 생기는 법이다. 이 책을 읽는 여러분도 공부를 잘하고 못하고를 떠나 도전적인 성향을 가지고 있다면 창업을 생각해 볼 만하다. 특히 요즘처럼 수억 원의 창업 지원금을 턱턱 내주는 시절은 단군 이래로 한 번도 없었다. 이럴 때 창업하지 않으면 언제 한단 말인가?

가족과 함께 해도 좋고, 중고등학생 창업도 좋다. 창업 동아리를 조직하거나 비즈쿨 동아리에 가입해서 대학 수시 입시에 활용하는 것도 매우 바람직하다.

셋째, 돈에 대한 뜨거운 열망

창업자들은 창업이 취업보다 힘든 길임을 대부분 알고 있다. 그럼에도 불구하고 도전하는 이유는 그것이 돈이 되는 길이라는 걸 알기 때문이다. 여기서 말하는 창업자란 1인 기업 혹은 하루 3~4시간만 운영하는 예술 공방, 커피 가게, 소규모 식당 등을 운영하는 사람과는 다르다. 하루 9시간 이상 동료들과 함께 북적북적 일하는, 어느 정도 규모를 갖춘 회사의 창업자들을 의미한다.

그들은 돈이 되는 아이템을 잘 찾으며, 돈을 벌 만한 사람들을 잘 모은다. 그렇게 해서 모은 팀원들에게 동기 부여를 잘하고 자신의 계획대로 회사를 성장시키며 수백억 부자가 되고 있다. 그들이 이렇게 움직이는 이유는 단 하나다. 사업을 성공해서 부자가 되고 싶어서다.

"어떻게 하면 돈이 될까?" "흠, 왜 이번에 우리 전략이 실패했을까?" "아, 돈 버는 사람을 따라 하고 가까이 하자!" "어떻게 하면 원가를 절감하고 아낄 수 있을까?" 창업자들은 이렇게 돈을 사랑하고 돈에 미쳐 있다. 돈에 1년만 미치면 돈의 길이 보이게 되는 것이다.

누구든 창업을 하고자 한다면 다른 목적은 붙이지 말고 오직 성공과 돈이라는 키워드에 우선 집중해야 한다. "사회에 도움이 되고 싶어서 창업한다"는 말은 마음속에 간직하면 된다. 국가의 세금이 아니면 스스로 유지할 수 없는 창업가, 1~3년 하다가 폐업하는 창업가가 되고 싶지 않으면 돈을 목표로 열심히 일하고, 돈을 잘 관리하는 창업가가 되어야 한다. 그러면 누구나 원하는 워라밸(일과 삶의 균형), 저녁이 있는 삶, 자유로운 회사 분위기는 자연스레 따라온다. 내 이름으로 된 통장에 큰 돈이 들어오는 경험은 차원이 다른 인생의 행복을 느끼게 해 줄 것이다. 다시 말하지만 돈에 욕심을 내고, 돈에 큰 관심을 가지기 바란다. 돈은 나쁜 것이 아니다.

넷째, 자기 생각이 분명하고 카리스마가 있다

"저는 말이죠…"

"제 생각은 이렇습니다."

"누가 뭐래도 저는!"

성공한 창업가들을 만날 때마다 느끼는 것은 자기 생각이 분명하다는 것이다. 그렇다고 해서 생각이 꽉 막히고 유연함이 떨어진다는 게 아니다. 그들은 자기만의 분명한 가치관을 가지고 있으면서 사회와 사람과 자연스럽게 소통하며 살아간다. 가령 사회적 · 경제적 · 정치적 사안에 대해서는 분명한 자신의 견해가 있고, 일을 할 때는 자기만의 철칙과 자기만의 방식이 있기도 하다. 결국 '자기 자신만의 무엇'을 가지고 있는 사람들이 성공한다는 말이 된다. 반대로 자기만의 것이 애매하거나 없으면 잘되기 어렵다는 뜻이기도 하다.

또 성공한 창업가들을 만나면 기가 세다는 느낌을 받는 경우가 많다. 카리스마가 강하고 범상치 않은 특성을 지닌 사람들이기에 그렇다. 여러분 친구 중에도 리더십이 강하고, 사람을 압도하며, 자기 생각이 분명한 사람이 있다면 훌륭한 창업가가 될 기질이 있는 것이다.

한번 생각해 보자. 나는 스스로 내가 어떤 사람인지 명확히 알고 있는가? 어떤 성향이고, 무엇을 좋아하고, 내가 중요하게 생각하는 가치는 무엇이고, 얼마의 돈을 벌고 싶은지 등을 알고 있는가?

모른다면 이제라도 알아야 한다. 그렇지 않으면 사회에서 여러분을 중심이 없고, 이용하기 좋은 사람으로 여기고 중요한 역할을 주지 않을 것이다. 반드시 나 자신에 대해 명확히 알고 있어야 한다. 대학도, 회사도 그러한 사람을 뽑고 있고, 정부도 그러한 사람들에게만 창업 지원금을 빵빵하게 주고 있기 때문이다.

★ 도전적이며 자유로운 인생 성향을 가지고 있다면 창업에 도전을 해 보는 것도 좋다

★ 돈에 대한 열망이 커야 한다. 돈은 세상에서 가장 중요한 것 중 하나
   이다.

★ 창업자들은 리더십이 좋고 자기 생각이 분명하며 기가 세다.

★ 여러분은 대학이 목표가 아니다. 누구나 결국 취업이나 창업을 해야
   한다. 자신에게 무엇이 맞는지 잘 생각해 보자.

깜짝
부록

나는 어떤
사람일까?

가볍게 알아보는
나의 기질

나는 어떤 사람일까?

가볍게 알아보는 나의 기질

다음 문항을 읽고 답해 보세요(해당하는 번호에 체크).

1. 내가 연극에 관여한다면

    1) 배우가 되고 싶다 S

    2) 감독이 되고 싶다 C

    3) 관객(or 칼럼니스트)이 되고 싶다 P

    4) 제작자(또는 작가)가 되고 싶다 M

2. 내가 상대방 때문에 화가 났다면 이유는

    1) 상대방이 나를 인정하지 않거나 칭찬해 주지 않아서 S

2) 상대방이 나의 가치를 전혀 존중해 주지 않기 때문에 P

3) 상대방이 너무나 나에게 민감하지 못하고(둔감하고) 상황이 무질서

하기 때문에 M

4) 상대방이 너무나 일처리 능력이 떨어지고 나의 일 잘함을 몰라주

기 때문에 C

3. 내가 만약 지나치게 삶에 의욕이 없다면

1) 내 주변이 너무 지저분한 느낌이고 무언가 정리 정돈이 되어 있지

않기 때문에 M

2) 인생이 너무나 복잡하고 평화가 없어 보이기 때문에 P

3) 인생에 즐거운 도전이 없기 때문에 C

4) 인생이 너무 재미없고 무료하며 사람들이 너무나 나를 몰라 주기

때문에 S

4. 내가 만약 극도로 화가 난 직후라면

1) 모든 일에 무관심하고 차가워질 것이다 S

2) 모든 일에 분노하고 있을 것이다 C

3) 모든 일에 고통스러워하고 있을 것이다 M

4) 모든 일에 피곤해 있을 것이다 P

5. 나의 일처리 신조는

　　1) 문제없이 평화롭게 처리하는 것이다 P

　　2) 완벽하게 처리하는 것이다 M

　　3) 내 신념대로 처리하는 것이다 C

　　4) 모든 사람이 좋아할 방식대로 처리하는 것이다 S

6번부터 29번까지는 자신의 성격에 가장 해당하는 번호에 체크하세요. 맞는 게 없다고 생각되면, 그래도 가장 비슷하다고 생각하는 것을 선택하세요.

6.

　　1) 쾌활하고 사교적이다 S

　　2) 겁이 없는 편이며 모험적이다 C

　　3) 평온하며 융통성이 있다 P

　　4) 끈기가 있다 M

7.

　　1) 분석적이고 계획적이다 M

　　2) 참을성이 있고 감정을 잘 억제한다 P

　　3) 확신이 있고 설득력이 있다 C

4) 긍정적이고 창조적으로 생각한다 S

8.

   1) 의지가 강하다 C

   2) 쉽게 받아들이고 수용성이 있다 P

   3) 남을 존중하고 이해심이 많다 M

   4) 격려를 잘한다 S

9.

   1) 말하기 능력이 좋다 S

   2) 남보다 더 뛰어나야 기분이 좋다 C

   3) 사교적이고 남의 이야기를 잘 들어 준다 P

   4) 헌신적이다 M

10.

   1) 침착하고 안정되어 보인다 P

   2) 정돈을 잘하고 깔끔한 것을 좋아한다 M

   3) 긍정적이다 C

   4) 남 앞에서 얘기하는 것을 좋아한다 S

11.

   1) 자신은 웃지 않으면서 남을 웃긴다 P

   2) 감수성이 예민하고 섬세하다 M

   3) 즐겁고 명랑하다 S

   4) 주관이 뚜렷하고 솔직하다 C

12.

   1) 남을 웃기고 인기 있다 S

   2) 지도력(리더십)이 있다 C

   3) 싫은 것이 있어도 크게 내색하지 않는다 P

   4) 이상적인 것을 좋아한다 M

13.

   1) 힘든 일이 있어도 상심하기보다는 내가 넘어야 할 과정이라고 생
      각하고 잘 이겨 낸다 C

   2) 남을 잘 이해하고 용서하며 관대하다 P

   3) 집중력이 강하다 M

   4) 낙천적이다 S

14.

    1) 독자적이고 독립적이다 C

    2) 활동적이다 S

    3) 다른 사람을 잘 거스르지 않는다 P

    4) 민감하다 M

15.

    1) 타인의 말을 잘 들어준다 P

    2) 음악을 좋아하고 예술적이다 M

    3) 쉽게 감동한다 S

    4) 목표의 성취를 잘 해낸다 C

16.

    1) 규칙에 약하다 S

    2) 관대하지 못하고 동정심이 별로 없다 C

    3) 귀찮은 것이 많고 매사에 열정이 없다 P

    4) 분을 오래 품고 잘 용서하지 못한다 M

17.

    1) 교만할 때가 있으며 고집이 세다 C

    2) 어떤 일에 쉽게 잘 결정을 내리지 못한다 P

    3) 사람들이 나보고 까다롭다고 한다 M

    4) 말이 많고 중간에 잘 끼어든다 S

18.

    1) 어떤 일에 엮이거나 관계되는 것을 싫어한다 P

    2) 예민하다 M

    3) 자기주장이 강하고 남과 말싸움에서 지는 것이 싫다 C

    4) 사소한 일에도 쉽게 화를 잘 낸다 S

19.

    1) 즉흥적이고 일관성이 떨어진다 S

    2) 성급한 행동을 자주 한다 C

    3) 결정이 어렵고 잘 망설인다 P

    4) 내성적이다 M

20.

    1) 숙제나 시험을 남보다 더 잘하고 싶은 욕구가 있다 C

2) 딱히 목표가 없다 P

3) 우울하다 M

4) 타인에게 자랑하길 좋아한다 S

21.

1) 침착하지 못하고 주위산만하다 S

2) 애정 표현이 없고 무뚝뚝하다 C

3) 무관심하다 P

4) 부정적이고 비판적이다 M

22.

1) 느리고 게으르다 P

2) 의심을 많이 한다 M

3) 매사를 자신이 주도하는 것이 속 편하다 C

4) 정리 정돈을 잘 못하고 어지른다 S

23.

1) 남이 나한테 상처를 준 것을 계속 마음에 담아 두거나 앙심을 품고
   있다 M

2) 타협을 잘 한다 P

3) 은근히 타인을 끌어들이거나 조종하는 경향이 있다 C

4) 기억을 잘 못하고 건망증이 있다 S

24.

1) 칭찬을 바란다 S

2) 거칠고 화를 잘 낸다 C

3) 마지못해 일한다 P

4) 남들과 잘 어울리지 못하고 어울리지 않는다 M

25.

1) 옷은 잘 입지만 옷장은 어지럽다 S

2) 소심하고 겁이 많다 P

3) 자신감이 없다 M

4) 직설적으로 면박을 준다 C

26.

1) 낙천적이다 S

2) 목표 지향적이다 C

3) 침착하고 태평하다 P

4) 매사에 분석적이다 M

27.

  1) 무슨 일을 할 때 비교적 결정을 쉽게 잘한다 C

  2) 남들이 싸울 때 나서서 화해를 잘 시킨다 P

  3) 깊이 생각하고 나서 행동한다 M

  4) 기분 안 좋은 일이 있었어도 곧 쉽게 잊어버린다 S

28.

  1) 지나치게 내성적이다 M

  2) 결정을 쉽게 내리지 못한다 P

  3) 남의 말을 잘 듣지 않는 경향이 있다 C

  4) 인정받기를 좋아하며 잘 안 되면 실망을 잘한다 S

29.

  1) 잘 잊어버린다 S

  2) 부정적인 편이고 환경에 많이 좌우된다 M

  3) 새로운 환경을 접하는 것을 싫어한다 P

  4) 감정이 무딘 편이라 남을 동정하는 마음이 잘 생기지 않는다 C

히포크라테스 기질 테스트 결과 알아보기

문항 체크를 마쳤다면 S, C, M, P로 분류해 숫자를 세어 보세요.

	S	C	M	P
체크 개수				

가장 많은 숫자가 나온 것이 주된 기질이고, 다음으로 많은 숫자가 나온 것이 부기질입니다. 많이 나온 두 가지 기질을 혼합하여 당신의 기질을 부를 수 있습니다(예를 들어 다혈질이 가장 많이 나오고, 그다음으로 점액질이 많다면 당신은 '다혈점액질'입니다. 이때에는 다혈질과 점액질의 해석지를 모두 읽어 보세요). 이 테스트는 '히포크라테스 선서'로 유명한 서양의학의 선구자 히포크라테스가 만든 것으로 알려져 있으며, 비교적 간단하게 '나의 기질을 알아볼 수 있는 심리 검사'입니다.

기질 해석

S

다혈질 : 즐겁게 사는 사람. 사람들에게 인기가 있고, 가까이 있으면 기분이 좋아진다는 말을 듣는다.

C

담즙질 : 통제권, 주도권을 쥐고 싶어 하는 사람. 힘과 권력, 명예를 원한다.

M

우울질 : 완벽을 추구하는 사람. 회계를 시키면 1원까지 계산이 가능하다.

P

점액질 : 관계 중심적인 사람. '좋은 게 좋은 거'라고 생각하며 갈등과 싸움을 피한다.

100% 다혈질, 혹은 100% 우울질은 없습니다. 기질은 4가지의 혼합으로 이루어져 있다고 보는 것이 옳습니다. 예를 들어 약 60% 다혈질, 그리고 40% 우울질이 나왔다면 선천적으로는 다혈질이지만, 후천적으로 우울질

의 성격이 생긴 것으로 보면 됩니다. 다음 내용을 읽으며 내가 가진 기질의 특성을 알아보세요. 내가 어떤 사람인지 제대로 아는 것이 진로 설정의 시작입니다.

[S] 다혈질 : 외향적, 열정적, 무대 체질, 낙천적 성격

① **장점** : 명랑하고 활기차며 지루함을 싫어한다. 즐거움과 기쁨을 잘 느끼고, 사교적인 성격으로 허심탄회하며 자유분방하다. 친밀함, 동정, 연민의 감정이 많으며 솔직하고 순수하다. 매사 자발적으로 열심히 하고 모험심이 강하다. 낙천적으로 인생을 즐기며 현재에 집중한다. 안 좋은 기억을 쉽게 잊고, 낙심했을 때에도 금세 재미난 일을 찾아낸다. 감성적이며 감수성이 깊다. 외부의 자극에 쉽게 마음이 들뜨고 본인의 감정을 중시한다. 부드럽고 자상하며 진심 어린 반응을 보인다. 감정의 변화가 심하고 사랑도 슬픔도 금방 잊는다. 주변 사람들에게 사랑을 많이 받는다.

② **단점** : 공부와 일에 비효율적일 때가 많다. 가볍게 판단하고 행동한다. 의지가 약하고 뒤처리가 미숙하며 집중력이 약하다. 감정과 생

활의 기복이 심하고, 약속과 책임을 쉽게 잊어버린다. 자기 위주의 사고와 행동을 하며 육체의 여러 욕구에 약하다. 자신의 결심과 약속과 의무를 쉽게 잊는다. 약속 시간과 마감을 어기는 일이 많다. 쉽게 잘못하고 쉽게 뉘우친다. 자신의 한계를 잘 모르고 결심을 진득하게 지키지 않는다. 쉽게 화를 내고 냉정을 잃기도 하나, 감정을 터트린 후에는 금방 잊는다. 자기는 속이 편하지만 다른 사람은 속 타게 할 때가 많다.

③ **해석 :** 돈과 시간을 낭비하는 습관이 있고 한 가지에 몰두하지 못한다. 쉽게 화내고 쉽게 풀린다. 주위의 관심을 많이 받고, 잡담하며 어울리기를 좋아한다. 정이 많아 늘 일이 끊이지 않는다. 일을 쉽게 미루고 기분이 빠르게 변화된다. '기분파'로 불리며 매사 즉각적으로 반응한다. 우울질의 사람을 싫어하고, 침착하지

못한 경향이 있다. 매사 쉽게 대답하고 쉽게 잊는다. 다혈질보다 더 인생을 즐기는 사람은 없다. 항상 주변에 관심과 호기심을 품고 있으며 감정이 예민하다. 불쾌했던 일도 환경이 바뀌면 곧 잊어버리는 경우가 많다. 쉽게 흥분하기 때문에 일의 전체를 찬찬히 분석해 보기도 전에 그릇된 방향으로 이미 일을 전개시키기도 한다.

[C] 담즙질 : 외향적, 결단력, 성취욕, 끈기가 강함

① **장점 :** 자신감과 의지력이 좋으며 자립심과 결단력이 강하다. 즉각적인 분석력이 있고 추진력이 좋다. 단체 활동에 적극적이고, 실질적인 해결 능력이 좋으며, 리더로서의 자질도 풍부하다. 적극적이고 끈기가 있다. 자기 문제는 스스로 결정하는 성향으로 결단력이 좋으며 자기주장이 강하다. 다른 사람들을 위한 결정을 내릴 수 있으며 다른 사람과 생각이 달라도 주저하지 않는다. 쟁점에 대한 자기 입장이 분명하다. 활동을 해야 힘이 난다. 목표 지향적인 성격으로 결정을 내리고 장기 프로젝트 계획을 즐긴다. 기회를 잘 찾고, 해결 방법이 적절하며 일을 빠르게 추진한다. 정해진 시간에 많은 일을 하고 매사 생각이 잘 정리되어

있다. 조직을 꾸리는 일을 좋아하며 성공에 대한 확신과 긍정이
있다.

② **단점** : 차갑고 무뚝뚝하고 성급하다. 자기만족과 도취가 심하다. 동정
심이 없고 화를 잘 내며 분을 오래 품는다. 자기중심적이고 거
만하며 포용력이 적다. 이기적이고 계산적이라는 말을 종종 듣
는다. 남이 하는 일을 믿지 못하고, 새로운 일을 시작한 후에는
성공하자마자 싫증을 느낄 가능성이 높다. 목적을 위해 사람을
자주 찾는다. 즉흥적으로 벌인 일 때문에 후회를 자주 한다. 자
존심이 강해 집요하게 밀어붙이는 경향이 있다. 언제나 자신이
옳다고 생각하고 자신의 뜻을 타인에게 강요하는 면이 있다. 타
인의 생각에 관심이 없고 친구와 동료들에게 무심하다는 평을
듣는다. 오랜 친구가 적다.

③ **해석** : 자신감과 능력이 넘치고 리더로서 활약하기 좋아하지만 자기
중심적인 판단과 결정을 하고 남을 무시하는 경향이 있다. 목
적을 위해 수단 방법을 가리지 않으며 임기응변에 능하다. 실
무적이고 육체적인 일에 곧잘 싫증을 느낀다. 자기 공로와 업
적을 내세우며 주위의 편견과 불합리에는 과격하게 맞선다. 의
지가 강하고 독립적이며, 자신의 능력을 크게 신뢰한다. 경쟁심
과 투쟁심이 해서 화를 잘 내고 오만한 약점이 있다. 급한 성미

가 있는 반면, 일에서는 냉철하게 대처를 잘한다.

[M] 우울질 : 내향적, 분석적, 완벽 추구형

① **장점 :** 감수성이 풍부하며 진지하고 신중하다. 창작성과 예술성이 뛰어나며 생각이 깊고 성실하다. 실수가 적고 자기희생을 많이 한다. 탁월한 분석력으로 정확하게 진단하며 새로운 일을 벌이길 주저한다. 배려가 좋고 타인을 중시한다. 자신을 고통 속에 몰아넣는 걸 은근히 즐기는 경향이 있다. 최선을 다해 몰입하는 것을 중시한다. 자신의 목표를 철저하고 끈기 있게 추구하여 업적을 이룬다. 소수의 친구와 깊은 우정을 나눈다. 정해진 시간 내에 맡은 일을 완수하는 것을 좋아한다. 믿음직스럽다는 평가를 받는다. 스포트라이트를 받기보다는 뒤에서 묵묵히 하는 일을 좋아한다.

② **단점 :** 침울하고 답답한 면이 있으며 실천력이 약하다. 극히 비판적이며 공상과 편견이 심하다. 피해의식에 빠지기 쉽고 감정과 정서가 불안정하다. 의심이 많고 변덕이 심하며 비판적이 되기 쉽다. 결단력이 약하고, 겉보기에는 차분하고 조용하나 대수롭

지 않은 일에 성을 내거나 분개하기도 한다. 행동으로 옮기지
는 않지만 복수심을 품기도 하고, 폭발하면 과격한 행동을 할
수 있다. 비관적인 반면 목표 달성을 위해 넘어야 할 온갖 문제
를 잘 뽑아 낸다.

③ **해석** : 예술을 즐겨 감상하고, 앞에서보다 뒤에서 일하기를 좋아한다.
희생적인 직업을 택하는 경우가 많다. 의견 내놓기를 꺼리지만
발표할 때에는 완벽하게 한다. 사무 처리에는 체계가 없다. 우
울증과 강박증, 지나친 콤플렉스 등에 시달릴 수 있다. 이해심
이 약하고 비난을 자주 한다. 예민한 성품에 '자기중심적'인 기
질이 병이 될 수 있다. 다혈질과 달리 자기의 감정을 심사숙고
하고 사려 깊은 판단을 한다.

[P] 점액질 : 내성적, 젠틀함, 부드러움, 겸손, 안정 추구형

① **장점** : 유머와 위트가 있다. 낙천적이고 편안한 성품으로 위로를 중시
한다. 객관적이고 이성적이며 신용을 잘 지킨다. 여유 있는 상
황 대처가 돋보인다. 인내심이 좋으며 부드럽고 깔끔하다. 사
람들 사이를 원만하게 하고 화해시킨다. 조용한 방식으로 다른

사람들이 꿈을 이루는 걸 돕는다. 일단 행동에 돌입하면 유능하고 효율적으로 움직이기 때문에, 피할 수 없는 상황에서 아주 좋은 리더가 된다. 좀처럼 다른 사람과 관계를 맺지 않지만 배신하는 일도 거의 없음.

② **단점** : 게으르고 나태하며 목적의식이 부족하다. 소극적이고 수동적이다. 실천력이 약하고 무관심으로 흐르기 쉽다. 이론만 내세우고 이기적이며 발전과 변화를 두려워한다. 결단력이 없고 우유부단하다. 깊은 정이 없고 어떤 대가를 치러서라도 자기를 지키려 한다. 변화를 좋아하지 않는다. 미소를 지으며 우아하고 능숙하게 자기 생각을 내세운다. 마지못해 뭔가를 할 때는 반항아 기질이 나타나기도 한다. 구두쇠 기질이 있어 주위에 인색해지기 쉽다. 가성비에 민감하며 버리는 걸 싫어한다. 물건을 소중히 여기고 출세보다 안정을 추구하며, 집에 있는 것을 좋아한다.

③ **해석** : 주위에 무정하며 무관심하다. 일에 대해 평가만 하고 멀리서 가볍게 관여한다. 참을성이 좋고 정리 정돈을 잘한다. 끈기가 부족하지만 시간과 약속을 잘 지킨다. 반대 입장을 가진 사람 앞에서는 냉담하게 대처한다. 유머가 뛰어나고 거침없이 행

동한다. 다혈질과 반대로 다른 사람의 말 듣기를 좋아하고 계획을 잘 짜지만, 가장 큰 단점은 '게으름'이다. 누군가의 자극을 받아 행동하는 것을 싫어하며 가능한 한 느리게 움직여 나간다.

⭐ 내가 가진 기질의 특성을 알게 되었나요? 스스로 생각하는 자신의 기질과 얼마나 일치하나요?

⭐ 기질은 각각의 특성일 뿐이라는 점을 알아 두세요. 다혈질이 좋고 우울질은 나쁘다는 식으로 기질의 좋고 나쁨을 단정할 수는 없습니다.

3장.

성공하는
상위 1%의
비밀

완벽한 진로 솔루션

여러분 모두는 애초에
오리지널original이에요.
여러분이 명품이고
오리지널임을 깨달으세요.
여러분이 오리지널인데
왜 남들을 따라 하고 짝퉁이 되죠?
'나다움' '내가 좋아하는 것'에
답이 있어요.

— 힙합 가수 스윙스

실리콘 밸리와
대기업이 원하는 것은?

결론부터 말하려 한다. 기업은 자기 자신을 잘 아는 사람이 일을 잘할 것이라 생각한다. 그래서 중심이 없는 사람, 자기 콘텐츠가 없는 사람, 내가 누군지 잘 모르는 사람, 특별한 경험과 특기가 없는 사람을 뽑지 않는다. 페이스북, 구글, 마이크로소프트, 국내 대기업, 스타트업 회사들은 한 곳도 빠짐없이 이런 주문을 한다. "너의 화려한 겉모습은 관심 없어. 네가 누구인지 정확히 알려 주고, 너만이 가지고 있는 세상의 경험을 보여 줘!"

모두가 자기 정체성과 자기 이해에 대한 질문을 하고 있는 것이다. 그 질문에 분명한 답을 제시한 사람이 선택되고, 높은 연봉(1년간 받는 봉급)을 받고 있다. 그렇다면 우리도 준비해야 하지 않을까?

실제 대기업과 공기업 면접, 입사 지원서에 단골로 등장하는 질문들을 한번 살펴보자.

- 인생에서 가장 힘든 일이 무엇이었고, 어떻게 극복했는지 말하시오.
- 조직의 부조리를 고발한 내부 고발자를 어떻게 해야 합니까?
- 인생에서 이룬 가장 큰 성과는 무엇입니까?
- 자신의 경쟁력을 3가지만 말하시오.
- 타인과 갈등을 조정한 경험에 대해 이야기하시오.
- 타인과 함께 일을 할 때 본인의 강점은 무엇입니까?
- 우리 기업이 동남아 시장에서 성장하기 위해 해야 할 가장 첫 번째 전략을 설명하시오.
- 전공이 직무와 맞지 않는데 지원한 이유는?
- 창의력을 발휘한 경험을 설명하시오.
- 공백 기간 동안 무엇을 했습니까?
- 지원한 '직무 영역'에서 능력을 발휘하기 위해 갖추어야 할 역량 3가지는?

■ 자신을 채용해야 하는 이유 3가지를 설명하시오.

■ 본인의 의사와 관계없이 회사에서 다른 부서로 배치한다면 어떻게

하겠습니까?

'나를 아는 것'이 중요한 이유

위 질문들에 정답은 없다. 하지만 자기 자신에 대하여 정확히 알고, 자신의 과거와 미래를 분명하게 이야기할 수 있어야 한다. 세상과 기업이 요구하는 나다움, 인간다움은 별개 아니다. 놀 때는 실컷 놀고, 공부할 때는 열심히 공부하고, 경험을 위해 바깥으로 신나게 돌아다니고, 세상 사람들과 깊은 관계도 맺어 보라는 것이다. 그리고 거기서 얻은 경험을 통해 '단단한 네가 되라!'는 것이다. 세상엔 모범생도 중요하지만, 모험생도 중요하다. 공부머리 우수자도 필요하지만, 일머리 우수자도 필요하다. 리더도 필요하지만, 받쳐 주고 도와주는 서포터 역할도 필요하다. 사람은 다 다른 것이다. 기업은 각각의 자리에 필요한 사람을 찾고 있다. 그러니 내가 무얼 잘하고 내가 어떠한 사람인지 잘 아는 사람을 뽑는 것이다.

당신을 2글자 단어로 표현해 주세요.
-2019년 모 대기업 면접 마지막 질문-

"왜죠?"

"잡초입니다"

"뽑아주세요"

"쌤, 저는 공부를 못하는데 선생님처럼 돈 많이 벌거나 좋은 회사 들어갈 수 있나요?"

"그럼, 당연하지. 나도 고등학교 때엔 중간 정도 성적밖에 안 됐지만 대학교 가서 열심히 공부하고, 회사 면접에서 나를 잘 보여 주었더니 합격할 수 있었어."

중고등학교 때 성적이 나쁘다고 포기할 필요가 전혀 없다. 나에게 소중한 게 무엇인지, 하고 싶은 게 무엇인지, 고민하고 집중하면 된다. 그렇게만 한다면, 누구나 원하는 꿈을 이룰 수 있다.

동기 부여를 위한 가장 좋은 방법 중 하나는 주변에서 적극적으로 노력하여 취업에 성공한 사람들을 만나 보는 것이다. 가족과 주변의 가까운 사람들의 인맥을 통해 꿈을 이룬 인생의 선배를 만나 보고 물어보자. "선배님은 취업할 때 제일 중요한 것이 무엇이라고 생각하시나요?"

저마다 여러 가지 스펙을 이야기하겠지만 공통적으로 말하는 것이 있을 것이다. 그것은 바로 '자신만의 무기' '나의 정체성' '나의 꿈' '내 생각' 등 '나'에 대한 정확한 이해이다.

나의 이미지 찾기

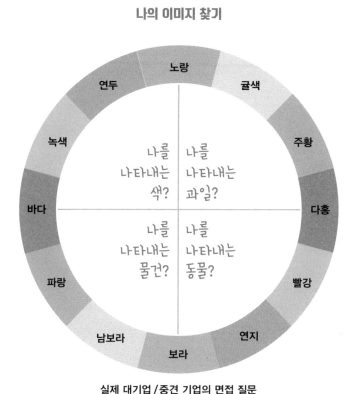

실제 대기업 / 중견 기업의 면접 질문

자유학기제와 창의적 체험 활동의 영리한 활용

강남 학원가에서 자유학기제와 진로 특강을 할 때였다. 100여 명의 학부모가 모인 그곳에서 나온 첫 번째 질문이 기억에 남는다. "강사님, 도대체 자유학기제를 어떻게 받아들여야 할지 모르겠습니다. 애들도 공부와 진로 사이에서 우왕좌왕하고 있고요. 솔직히 진로 교육을 한다고 하지만 결국 고3이 되면 입시 교육 중심으로 돌아가지 않습니까?"

모두들 고개를 끄덕이며 공감하는 눈치였다.

"어머님, 일리 있는 말씀입니다. 우리나라에서 중고등학교 시절의 6년은 솔직히 고3을 위한 과정이라고 볼 수 있으니까요. 그런데 그 6년의 시작이 이제 중학교 1학년부터 시작되는 자유학기제 시스템으로 바뀐 것을 분명히 아셔야 합니다."

그리고 자유학기제의 의미를 구체적으로 설명했다. 먼저, 우리의 목표인 대학에서 진로 설정이 확실한 학생, 자기 주도성이 분명한 학생, 다양하고 깊은 경험이 있는 학생, 사회성이 좋은 학생을 선발하는 경향이 더욱 뚜렷해질 것이라는 점을 강조했다. 이미 대학과 기업은 '공부밖에 모르는 학생은 안 뽑아! 세상 경험, 생활력, 자기만의 철학이 없고, 자기만 생각하는 사람은 안 뽑아!'라고 선언하고 있다. 또한 중학교의 자유학기제와 고등학교의 진로 탐색은 잠깐 해 보다가 사라질 교육 이슈가 아니라는 점도 강조했다. 일부 수정과 보완은 될 수 있으나 앞으로도 교육 체계의 중심이 될 정책이라는 것이다. 그러니 빨리, 제대로 참여하여 원하는 결과를 얻어야 한다는 조언으로 답변을 마무리했다.

언제나 새로운 교육 이슈에 빠르게 대처하는 강남 학군에서는 이미 중학교의 자유학기제와 고등학교 진로 탐색 활동을 최대한 활용하고 있다. 특히 자유학기제는 단순히 시험 안 보고 노는 시간이 아니다. 결과 중심이 아닌 과정 중심의 학습으로, 학생이 6년간 자기 주도적으로 참여해야 하는 수업이다. **왜 자유학기제에서 체험 활동, 과정 평가, 문제 해결 훈련을 할까? 바로 수시와 취업을 위해서다.** 수시(정시 전형이 아닌 내신 등으로 입학생을 뽑는 것)에서 원하는 학종(학생부종합전형)과 면접을 잘 치를 수 있도록 자유학기제부터 준비시키는 것이다.

물론 자칫하면 자유로운 분위기 때문에 아이들이 붕 떠 버릴 수도 있다. 실제로 다양한 경험이라는 핑계 아래 많은 학생들이 그저 놀고 있기도 한다. 그러나 온 가족이 함께하거나, 마음이 잘 맞는 친구들이 프로젝트 형식으로 진로를 탐색하면 기대 이상의 효과를 볼 수 있다.

가령 경기도의 A고등학교에 다녔던 하윤이의 경우 대입 수시를 지원했고, 중고등학교 시절 매년 바뀐 진로 항목에 대한 스트레스가 있었다. "쌤! 고1, 고2, 고3 때마다 진로 희망 항목이 다 다른데 어떻게 해야 하죠?"

걱정하는 하윤이에게 해결책을 알려 주었다. "괜찮아. 대학에서는 학생이 원하는 진로가 해마다 바뀌는 것은 크게 문제 삼지 않아. 오히려 '왜' 바뀌었는지에 더 주목할 테니 그 점을 잘 설명해 봐. 자기소개서와 면접에서 꿈이 바뀐 이유를 설득력 있게 설명하기만 하면 돼. 결국 중요한 것은 진로를 바꾼 '명확한 경험, 자기 이해'가 있느냐 하는 거야."

어른스러운 경험!
면접관의 마음을 뺏어 수시에 합격하다

진로를 정하는 데 있어 가장 중요한 핵심은 '경험'이다. 그야말로 무조건, 무조건이다. 중고등학교 시절 학교 안팎에서 깊이 있는 경험을 얼마나 많이 했는지가 대학과 기업의 최대 관심사이기 때문이다. 실제로 대학과 기업은 모두 자기소개서와 면접에서 이 '경험'을 집요하게 파고든다.

대학의 경우 지원한 전공에 대한 선행 경험, 진로 경험, 해당 영역에 대한 고민과 준비 여부를 체크하며 학생을 뽑고 있다. 남들 하는 수준의 진로 탐색이 아닌 대학을 사로잡을 열정이 느껴질 특별한 경험과 오랜 경험이 있다면 합격할 확률이 매우 높아진다.

특히 고등학교 때 수시의 필수 과정인 창체(창의적 체험 활동)는 중고 시절의 경험을 기입하는 데 있어 아주 중요한 요소가 된다. 여기서 많은 입시 준비생들이 실수하는 부분이 있는데, 바로 '경험이라고 다 같은 경험이 아니'라는 것이다. 쉽게 말하면 '어른스러운 경험'이 있느냐의 여부이다.

가령 "민주 시민의 덕목에 대해 설명하라"는 질문을 받았다면 어떻게 답하는 게 좋을까? A학생은 '사회를 위해 봉사하는 것이 민주 시민으로서 중요한 역할이다'라며 다소 딱딱하지만 어른스러운 면접을 풀어 나갔다. B학생은 마라톤 봉사 활동을 통해 느낀 선수들의 힘든 표정, 마라톤 준비 과정, 한계를 맞닥뜨렸을 때 이겨 내는 모습을 설명하며 면접을 풀어 갔다. 그리고 이를 자신에게 적용하여 '인생'이라는 마라톤을 달릴 때 필요한 정신력과 자세, 나의 인생 훈련법 등을 깨닫게 된 좋은 경험이라고 설명했다. 둘 다 훌륭한 접근이었고, 평가는 B학생이 조금 더 좋았다고 한다.

사실 마라톤 봉사는 특별한 경험은 아니다. 그러나 보통의 경험을 '깨달음이 있는 경험'으로 연결시켜 듣는 사람의 마음을 움직였다. 둘 다 합격을 했지만 특히 B학생은 평범한 일상을 특별하게 느끼려 노력했고, 마라톤을 면접관들이 좋아할 소재인 민주 시민의 역량으로 연결하며 좋은 평가를 받았다. **이처럼 반드시 특별한 경험이 아니어도 깊은 깨달음이 있는 경험이면 충분하다.** 면접관들은 오히려 이러한 보통의 일상에서 삶을 통찰하고, 밀도 있는 깨달음을 얻는 순간을 묘사하는 지원자를 높이 평가한다.

꼭 기억하자. 진로라는 인생의 길은 매우 길고 넓다. 그 길 가운데 다양한 경험, 혹은 깨달음이 있는 깊은 경험을 통해 내면의 밀도가 단단해지는 과정을 겪길 바란다. 경험을 통해 속이 꽉 찬 사람이 되기만 하면 성공은 나의 것이 될 것이다.

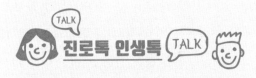

★ 기업은 자신이 누구인지 잘 아는 사람을 뽑고 있고, 실제로 10년 넘게 면접에서 모두에게 질문을 던지고 있다.

★ 자유학기제와 창의 체험 활동을 잘 활용해야 원하는 대학과 기업에 합격할 수 있는 시대가 되었다.

★ 어른스러운 경험, 깨달음이 있는 경험을 하면 기업은 두 팔 벌려 환영하며 서로 모셔 가려 한다.

스마트한 진로 설계를 위한
핵심 솔루션 네가지

솔루션1 : 5명을 만나고, 5권을 읽고, 5개를 시청하라

지영이와 기훈이는 춤과 노래에 관심이 많다. 그런데 부모님들은 매일 노는 것처럼 보이는 아이들의 일상이 마음에 들지 않았다. 다행히 지영이와 기훈이네 가족은 진로 멘토링을 시작했다. 나는 상담을 통해 먼저 '5-5-5의 법칙' 실행을 권했다. 5-5-5의 법칙은 좋아하는 분야에서 전문가 5명을 만나고, 전문 서적 5권을 읽고, 유튜브 5개 채널을 시청하는 것이다.

지영이의 경우 관심 분야인 '춤' 관련 현업 종사자를 5명 만나도록 했다. 서울 강남의 댄스 교습소 강사, 현직 비보이 댄서,

K-pop 안무 창작가, 실용음악과 교수, 은퇴한 댄서까지 총 5명이었다. 기훈이는 '노래'에 더 관심이 많았기에 실용음악 학원 강사, 노래를 전공하는 3~4학년 대학생, 현직 작곡가, 아이돌 연습생을 포기한 사람, 연예 기획사 관계자로 정했다. 이 리스트를 제안했을 때 부모님들의 공통된 반응은 "저는 이런 사람들을 만날 인맥이 없는데요?"였다.

맞다. 대부분의 부모님들이 가지고 있는 벽이 이것이다. 하지만 방법이 없는 게 아니다. 관심 분야의 인터넷 카페, 유튜브, 인스타그램 등을 보면서 만나고 싶은 사람들의 리스트를 정리하고, 부모님과 함께 한 명씩 연락해 보자. 전문가의 시간을 사는 것이므로 시간당 5만~20만 원의 비용을 들여 만남을 부탁하는 게 좋다. 이런 경우 진로 관련 학원비를 지출한다고 생각하면 마음이 편할 것이다. 50만 원으로 인생을 바꾼다고 생각하면 전혀 아깝지 않을 비용이기 때문이다. 실제로 이러한 방법은 대부분 승낙으로 이어졌다.

물론 돈을 드린다 해도 만나 주지 않는 경우가 있고, 돈을 받지 않는 사람도 많았다. 중요한 것은 우리 가족이 당신을 존경하고, 우리에게 꼭 필요한 조언을 해 줄 인물로, 우리 인생의 중요한 은인으로 생각하고 있음을 진심으로 표현하는 것이다. 그러면서 부족하지만 이런 사례금과 함께 상담 요청을 드린다고 하면 된다.

이런 방법이 먹힐까 싶지만 꽤 많은 이들이 승낙을 한다. 부모님과 주위 사람들을 총동원해 알아보며 소개를 요청해야 한다. 요즘은 개인 채널을 운영하거나 SNS를 활용하는 사람이 많으니 직접 메시지를 남기는 것도 가능하다. 처음에는 어색하고 쑥스러울 수 있지만 하다 보면 익숙해지고, 사람을 만나서 이야기를 듣는 것 자체를 즐기게 될 것이다. 이러한 과정 자체가 의미 있는 체험으로 남는 것은 물론이다.

만일 4차 산업 분야에 관심이 있다면 인공지능 전문가, 공무원, 기업인, 스타트업 창업가, 작가 등을 만나 보는 것이 좋다. 공무원이 되고 싶다면 공무원의 꿈을 이룬 1년차, 3년차, 5년차, 10년차 등의 공무원을 5명은 만나 봐야 한다. 궁금한 질문을 꼼꼼히 준비하고, 꿈을 이루기 위해 어떻게 노력했는지, 지금 하는 일은 어떤 것인지 구체적으로 물어보자. 막연했던 꿈이 더욱 현실적으로 다가오고 명확해질 것이다. 이는 일종의 '사람책'을 읽는 것으로, 한 사람을 만날 때마다 몇 권의 책을 한꺼번에 읽은 것 같은 효과를 얻을 수 있다.

5명의 사람을 만났다면, 이제 관심 분야 책을 5권 읽어 보자. 화장품에 관심이 있다면 화장품 관련 책을 5권 읽고 정리하면 된다. 메이크업 방법론, 화장품 제조법, 화장품 회사 창업가의 성공기, 피부학 관련 책, 뷰티 유튜버의 책 등이 있을 것이다. 유튜브 크리에이터에 관심이 있다면 실제 인기 유튜버가 쓴 책, 동영상 편집 프로그램 설명 책, 유튜버 성공 모음집 등을 읽으면 된다. 그렇게 5권만 읽으면 해당 분야의 산업 세계가 이해되고, 확장된 시각으로 남들보다 앞서게 된다.

　다음 방법으로는 유튜브 채널 5개를 시청하는 것이다. 5명을 만나고, 5권의 책을 읽은 것과 마찬가지로 '관심 분야 5개의 채널'을 시청하여 정리하면 된다. 한 채널의 5개 동영상을 보는 게 아니라, 5개 채널을 보라는 것이다. 실제로 진로 컨설팅을 해 보면 학생들은 유튜브 보기를 가장 좋아하는데, 유튜버들이 재미있게 진행하니 책보다 훨씬 빠르게 흥미를 느끼고, 실무의 현장감이 느껴지는 경우도 많기 때문이다. 지금은 유튜브 시대이기도 하다. 유튜브 안에는 학원에 가서 들을 정보가 거의 다 있다. 그러므로 유튜브를 항해하며 보물을 찾을 수 있어야 한다.

사실, 이 '5-5-5의 법칙'은 성공한 사람들의 초특급 비밀 노하우다. 부동산 투자자로 유명해진 김유라 씨는 오프라인에서 사람과 만나고 소통하며 인생이 바뀌었다고 고백하였고, 1천 권 독서법으로 유명해지며 억대 연봉을 번다는 전안나 작가 역시 독서로 인생이 바뀌었다고 한다. 자수성가 청년으로 유명한 유튜버 '자청' 역시 유튜브 초창기 노출이 잘 되지 않자 성공한 유튜브 선배들의 채널을 보며 잘되는 노하우를 분석하고 공부했다고 한다. 그 결과, 순식간에 10만 명이 넘는 구독자를 보유하게 되었다.

결국 사람과 책과 유튜브에 답이 있다. 진로는 누가 더 적극적으로 인생을 준비해 나가느냐 하는 자기 주도성과 인식의 전환에 달려 있다. 가만히 있지 말고 몸을 움직여 만나고, 읽고, 시청하라. 그리고 가장 중요한 것이 바로 '정리'이다. 그저 듣고, 눈으로 보기만 한 것은 까먹게 된다. 책을 읽었으나 변화하지 않으면 읽지 않은 것과 같기 때문이다. 꼭 만남을 정리하고, 독서를 정리하고, 시청을 정리하라! 그 순간이 여러분의 인생을 100억 부자로 바꿔 줄 것이다.

꼭 5-5-5의 법칙을 실행해 보기 바란다. 처음이 어색해서 그렇지 한번 해 보면 재미가 생겨 오히려 10-10-10의 법칙으로 발전될지도 모른다.

솔루션2 : 모방하라! 상위 1%의 비밀이다

"모방하면 부자가 됩니다. 모방하면 성공합니다. 꼭 하세요!"

　　돈 많은 부자, 성공한 어른들이 알려 주지 않는 비밀이 있다. 바로 '모방'이다. '모방'이라는 말에 깜짝 놀라는 사람도 있을 것이다. 모방은 가짜, 수준 미달이라는 느낌을 주기 때문이다. 그것은 완전히 잘못된 이미지이다. 실제로 현실에서 모방은 세상을 이끌어 가는 주요 기술이자 철학이다. 모방의 힘을 일찍 깨우친 사람은 부자가 되고, 취업/창업에 성공하고, 원하는 것을 얻고, 실력이 단단해진다.

한번 생각해 보자. 가게를 운영하는 사람이라면 네이버 메인에 노출되고 싶어 한다. 영업에 큰 도움이 되기 때문이다. 네이버 메인에 노출되고 싶다면, 먼저 성공한 사례를 찾아보고 그대로 따라 하면 된다. 핵심은 바로 선두 주자를 따라 하는 것이다. 내가 할 줄 모르거나, 방향을 잃었다 할지라도 1등을 바라보고 따라가면 되기 때문이다. 1등을 따라가면 1등은 못 되도 2등이 되거나 최소한 5등은 될 수 있음을 꼭 깨닫자.

A청년이 김밥 가게를 열고 야채 김밥, 참치마요 김밥 등을 판매했다. 또 손님들에게 손편지를 쓰는 등 차별화된 노력을 했다. B청년은 '김밥 갤러리'라는 프렌차이즈를 만들고 A가게의 메뉴를 모방해 참치마요 김밥을 만들고 언양불고기 김밥, 도쿄돈까스 김밥 등을 만들었다. 그리고 C청년은 A와 B의 김밥을 모조리 먹고 분석하며 A, B의 김밥은 물론이거니와 C만의 치즈호두 김밥, 회오리 김밥, 0칼로리 샐러드 김밥 등을 만들었다. A는 B와 C의 판매에 자극을 받으며 다시 A만의 한우 김밥, 삼겹살 김밥, 제주전복 김밥 등을 만들었다.

이들 가게는 서로 모방하고 경쟁하며 '김밥 가게'의 생태계를 발전시켜 나갔다. A 입장에서는 왜 내 걸 따라 하냐고 억울해할 수도 있으나, 서로 모방하고 경쟁하며 나아가는 것이 세상 원리이다. 노래방 거리에 10개의 노래방이 있다고 가정하자. 경제가 어려워져 노래방 7개가 문을 닫으면 살아남은 3개 노래방이 더 많은 돈을 벌게 될까? 그렇지 않다. 노래방 거리 자체가 없어지며 사람들의 발길이 끊길 확률이 더 높다. 지역마다 삼겹살 거리, 김밥 골목 등으로 지정되는 곳에 관광객이 몰리듯이, 혼자 장사하는 가게보다 경쟁자와 동반자가 적당히 존재해야 산업의 크기가 확대된다.

다시 강조한다. 모방해야 성공한다. 모방은 남의 것을 따라 한다는 의미에서 시작하여, 모방하는 과정을 통해 내 것으로 만드는 '흡수'의 과정, 더 새로운 것으로 '응용 / 확장'하는 과정을 모두 포함하는 것이다. **쉽게 말해 모방은 '고수의 무기를 내 것으로 쉽고 빠르게 만드는 과정'인 것이다. 그러니 진로를 정한 사람에게 '모방'은 최고의 방법이자 노하우가 된다. 업계에서는 이를 '벤치마킹' '응용' '차용' '팔로업' 등으로 부른다.** 모방이라는 말이 왠지 베끼는 듯한 느낌이 들어 싫다면 벤치마킹이라는 말을 써도 좋다. 중요한 것은 '모방'으로 세상이 돌아가고 있다는 것이다.

우리 주변에서 모방과 벤치마킹으로 성공한 사례를 찾아보자. 마트에서 보는 생필품은 대부분 선두 주자를 따라 한 것이다. 라면, 음료수, 과자, 커피 등을 잘 살펴보자. 한 업체에서 만든 제품이 인기를 끌면 다른 업체에서도 곧 비슷한 제품이 출시된다.

아예 소비자가 헷갈릴 정도로 비슷한 포장을 하는 경우도 많다.

스마트폰의 플레이스토어, 앱스토어에 들어가 보자. 소개팅, 게임, 퀴즈, 날씨, 명언 등을 검색해 보자. 모두들 서로가 서로를 따라 하며 돈을 벌고 있다. 비즈니스 모델은 어떠할까? 당일 배송 전략, 집 앞 새벽 배송 전략, 구독 서비스 전략, 1+1 전략 등 A업체 가 성공하면 B, C, D업체가 가만있지 않는다.

대기업도, 동네 치킨집도 마찬가지다. A에서 만들면 B, C, D 도 질세라 비슷한 기능의 제품과 메뉴를 출시한다. 최근에는 젊은 부자들이 외국의 스타트업을 벤치마킹해 서울에서 창업을 하는 일도 늘고 있다.

이것이 바로 실제 어른들이 살아가는 현실의 업계 비밀이자 노하우다. 모방, 벤치마킹, 차용, 응용이 그 핵심 비법인 것이다. 그 렇기에 우리는 10대 시절부터 모방하고, 응용하고, 확장하는 연습 을 해야 한다. 기업과 세상은 그렇게 모방에 능한 사람을 '인재'라 부르며 서로 데려가려고 하기 때문이다.

솔루션3 : 시간을 인정하라

37.2세. 28~29세.

이것은 국내 취업 포털과 미국 실리콘밸리(세계 소프트웨어 벤처 기업들의 중심지)에서 조사한 창업과 취업에 성공한 사람들의 평균 나이다. 창업의 경우 여학생은 대학 졸업 후 12년은 지나야 성공하고 있으며, 남학생은 대학 졸업 후 9년 이상은 인내해야 성

공할 수 있다. 취업에서도 대학 졸업 이후 2~5년은 지나야 원하는 직종에서 근무할 수 있다는 것이다. 최근에는 20대가 아닌 30대 신입 사원도 증가하고 있다. 업무 이해와 기술 습득 속도가 빠르고 조직에 적응하는 능력이 뛰어나기 때문에 기업에서 선호한다고 한다. 현실이 이러하니, 취업과 창업에 성공하기까지 시간이 오래 걸릴 수밖에 없음을 누구나 인정하고 받아들여야 한다. 그래야 스트레스 없는 삶을 살 수 있다.

사실 '성공'이라는 단어는 빠르면 20대 후반이고 보통 30대 중반, 40대에 이르러서야 가능하다. 여기서 성공이란 '자유'를 말한다. 취업과 창업 성공 이후 따라오는 경제적 자유, 시간의 자유, 정서적 자유 등이다. 그 궁극적 목표를 이루기 위해서는 20대 후반까지 충분히 연습하고, 넘어지고, 실패하고, 작은 성공을 이루

기도 하는 등 다양한 경험의 지속적 반복이 필요하다. 즉, 빨라야 20대 후반이 되어야 성공할 수 있으니 조급해하지 말고, 작은 실패에 우울해하지 말고, 끈기 있게 인생을 준비해야 한다.

KB경영연구소 사이트www.kbfg.com에 들어가면 '부자' 키워드 검색을 통해 '한국 부자 보고서'를 찾아 다운로드할 수 있다. 이 보고서는 부자 고객들이 어떻게 자산을 모았는지를 알려 주는데, 자산 20억을 모으는 데 성공한 사람들의 평균 나이가 '43세'로 나와 있다. 몇 번의 도전과 실패는 당연하고 40세를 넘어서야 성공하는 경우가 많다는 것이다. 여기서도 역시, 시간을 인정해야 하고, 경험이 쌓여야 성공에 도달한다고 말하고 있다.

내가 아는 사람 중에는 고등학교를 졸업하고 8년간 방황하

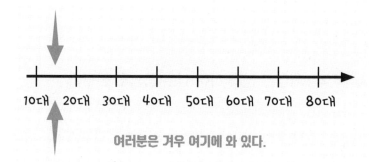

여러분은 겨우 여기에 와 있다.

다 27세부터 열심히 노력해서 50세 때에 100억 원을 모은 자산가가 있다. 또한 24세에 대학을 졸업한 후에도 9년간 캐나다에서 유학 생활을 하고 33세에 연구소에 취업한 사람도 있다. 둘 다 꿈을 이루기 위해 오랜 시간을 인내했다고 볼 수 있다.

이러한 사례는 셀 수도 없이 많다. 학교 행정직 공무원 시험 합격을 위해 6년을 노력한 지혜, 경찰 공무원 합격을 위해 3년을 준비한 대하, 나만의 식당 창업을 위해 6년간 주방 및 서빙 아르바이트를 한 준규, 중소기업을 거쳐 5년 만에 경력직 직원으로 대기업에 입사한 승현, 스트레스 많은 도시를 벗어나 고향인 울산에서 어머니와 함께 카페를 창업한 현아의 작은 성공 스토리는 우리 주위에서 흔히 찾아볼 수 있을 것이다.

꼭 기억하자. 우리에게 주어진 시간과 기회는 너무도 많다. 그 시간과 기회 동안 안타와 홈런을 칠 날이 왜 없겠는가! 천천히 길게 보고, 제대로 노력하면 못할 게 없다.

솔루션4 : 세상은 남과 다른 깊은 경험을 원한다

"기업과 세상은 여러분의 경험과 능력을 월급과 바꾸려 하는 거예요. 성적은 그저 필터링 장치입니다."

기업은 철저히 여러분의 경험을 원하고 있다. 대학 역시 마찬가지다. 매년 지원자에게 경험만 주구장창 원하고 있다. 그런데도 교사와 학부모, 학생들은 여전히 성적에만 매몰되어 있다. 생각을 바꾸어야 앞서 나가는데 말이다.

인천 A중학교 특강 후에 지아라는 학생이 찾아왔다. "선생님한테 진로 상담 받으려면 돈 많이 내야 해요?"라고 묻기에 하하 웃으며 무슨 일인지 물어보았다. "아빠가 제 꿈을 무시해서요. 그냥 아빠가 하라는 대로 공부나 하래요."

마침 지아의 아버지도 특강에 참여했다 하기에, 함께 이야기를 나누어 보기로 했다. 아버지는 지아가 공부를 곧잘 하는데 미용이며 화장에 빠져서 공부를 멀리한다며 걱정이 많았다. 이러한 대화가 오고 갔다.

"아버님이 원하는 대학에 합격하기 위해서라도 지금 지아가 좋아하는 분야에 계속 관심을 쏟게 해야 합니다. 아버님이 원하시는 대학에 합격한 학생들의 스펙을 한번 조사해 보세요. 아마 지아가 지금 하고 싶어 하는 활동들을 포트폴리오(자신의 실력을 보여 줄 수 있는 자료)로 만들어서 스펙으로 보여 주는 작업을 거쳤을 거예요."

지아 아버지가 경청하기 시작했다.

"뷰티 쪽을 좋아하고 화장품 연구에 관심이 있다면 생명과학이나 화학을 전공할 수도 있겠지요? 그럼 지아가 좋아하는 일을 마음껏 하면서 아버님이 원하는 좋은 학교에 지원할 수 있지 않을까요?"

"아, 저는 그저 화장만 좋아한다고 안 좋게 생각했는데 그럴 수도 있겠군요."

"네. 화장품의 원료, 개발, 마케팅 등을 필요로 하는 대기업과 중견 기업으로 연결해서 진로를 생각해 볼 수 있어요. K-뷰티는 앞으로 더욱 전 세계에 확산될 거예요. 지아의 나이 대에 화장품, 헤어, 피부, 패션에 관심을 가지는 것은 아주 자연스러운 일이고요. 그 장점을 활용해서 지아가 대학 입시에 유리한 스펙을 쌓는다면 아주 유용하겠죠."

나는 지아가 수제 화장품 만들기를 통해 화학의 재미와 공부의 필요성을 느끼며, 화장품 회사를 견학하고 실제로 일하는 사람들과 직접 만나 이야기를 들어 보기를 요청했다. 또 뷰티 박람회도 다녀오며 포트폴리오를 정리해 볼 것을 권유했다. 이렇게 다양하고 깊은 경험을 많이 하면 아버지가 원하는 대학 입시와 지아가 원하는 뷰티 관련 진로 선택, 두 마리 토끼를 한 번에 잡을 수 있다는 조언이었다.

이처럼 지아의 아버지는 좁은 시야로 대학 이후의 진로는 보지 못한 채 그저 대학 자체만 생각하고 있었다. 아마 많은 보통의 가족이 이와 같을 것이다. 그러나 지금 우리 학생들에게 필요한 것은 바로 다양하고 깊은 경험이다. 앞서 지아 아버지에게 제안했던 화장품 회사 직원과의 인터뷰, 화장품 화학 성분 분석, 화장품 셀프 제조 등은 대학 입시에서도 자신을 어필하기에 매우 좋은 소재가 된다. 대학은 그렇게 자기 주도적으로 어른스러운 경험을 하는 사람을 서로 뽑아 가려 하기 때문이다.

지금 기업과 세상은 개인이 갖추어야 할 최우선 역량으로 '경험'을 꼽고 있다. 여기서 경험은 성장이 있는 경험을 의미한다. 누군가는 아프리카로 사파리 투어를 다녀올 수 있고, 누군가는 아프리카 봉사를 통해 현지인의 삶을 이해할 수 있다. 또 누군가는 도쿄에서 맛집 투어를 할 때 누군가는 시골 마을의 할머니 사랑방에서 일본 문화를 한층 깊게 체험할 수 있다. 단순한 여행으로도 새로운 경험이 가능하지만 자원 봉사를 통한 깊은 경험과는 비교가 되지 않을 것이다. 기업은 면접을 통해 이처럼 새롭고 의미 있는 경험을 통한 깨달음과 성숙함을 평가하며 사람을 뽑고 있다.

그러니 우리는 성장이 있는 경험을 해야 한다. 그래야 넓어지고 깊어진다. 대학과 기업은 그것을 원하고 있다.

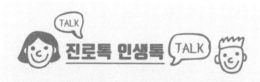

진로톡 인생톡 TALK

★ 사람 5명 만나기, 책 5권 읽기, 유튜브 5채널 시청하기를 실천해 보자. 성공하는 상위 1%가 될 것이다.

★ 어른들의 세계에서 '모방'은 사회적 성공을 이루고 부자가 되는 최고의 기술이다.

★ 이상하게 들릴지 몰라도, 기업은 모방에 뛰어난 사람을 '인재'라 부르고 있다. 정말이다.

★ 전 세계 모든 성공한 사람들이 말한다. "성공할 시간과 기회는 충분하다. 조급해하지 마라!"

★ 첫 번째 시기인 10대에 인생이 결정 날 것 같지만, 20대에는 더 많은 기회가 또 새롭게 온다.

★ 기업들은 10년 넘게 '경험'만 물어보고 있다. 취업하고 싶다면 경험을 많이 해야 하지 않을까?

★ 최종 면접에서는 남들보다 튀거나, 깊은 경험을 가진 사람이 합격하고 있음을 명심하라.

4장.

스팀 교육으로
한발
앞서 가라

완벽한 미래 진로 디자인

코로나19 이전의 일상으로 돌아가는
일이 쉽지는 않을 거예요.
미래가 바뀐 것이지요.

— 마이크로소프트 CEO 빌 게이츠

미래를 알아야
진로가 보인다

"하은아, 너는 전기 차가 좋아? 드론 차가 좋아?"

"진규야, 페이스북에서 가상화폐 신규로 나온 거 환전했니?"

"너희 아버지 건강 검진 결과 어떻게 나왔니? 인공 장기 결정할 수도 있으니까 삼성에 미리 알아봐."

이런 대화가 어떻게 들릴지 모르겠다. 20~30년 후에는 충분히 가능한 대화가 아닐까? 어쩌면 더 빠를 수도 있다.

진로 특강을 하다 보면 4차 산업 혁명에 대한 질문을 많이 듣는다. 아예 그 주제로 강의를 요청하는 경우도 있다. 그때마다 4차 산업에 대한 오해가 있다는 생각이 들었다. 그래서 명확한 정리를 준비하였다.

4차 산업에 대한 흔한 오해

첫째, **4차 산업을 위기로 느끼기에는 아직 시간적 여유가 있다는 점이다.** 방송을 비롯해 여러 매체에서 '4차 산업혁명 대비가 시급하다'며 겁을 주고 있지만 지금은 '3.5차 산업혁명' 정도 되고, 어른들이 말하는 4차 산업이 제대로 시작되려면 앞으로 20년은 지나야 할 것이다. 이 말이 어떤 의미일까? 시간이 넉넉하니 너무 조급하게 생각할 필요가 없다는 것이다. 준비할 시간이 충분하고, 시장이 형성되려는 초기 단계인 만큼 여러분은 물론 여러분의 후배들까지도 일자리 수요가 많다는 것이다.

두 번째, **4차 산업의 시대는 대학을 졸업한 사람 혹은 4차 산업을 제대로 이해한 사람들이 인정받을 세상이라는 점이다.** 바로 이어서 설명하겠지만 4차 산업은 지금까지 나온 모든 기술이 '융합'되는 산업이다. 즉, 엄청나게 어려운 단일 기술이 섞이고, 연결되고, 결합되는, 그야말로 '어려움의 끝판왕' 산업이라는 것이다. 결국 전공을 깊이 배운 대학 졸업자 혹은 대졸자에 버금가는 고졸자들이 능력을 발휘하는 세상이다. 다시 말해 공부를 잘해야 성공하고, 어떤 전공을 선택하든 기술과 산업을 이해하며 융합하지 않으면 안 된다. 예체능 계열, 문과, 이과도 모두 '융합'을 해야 한다.

세 번째, 4차 산업 시대는 직업 체험이나 직업이 목표가 되는 것이 아니라 산업을 공부하고 진로 역량을 키워야 하는 시대이다. 진로 특강에서 학부모들에게 "아이에게 좋은 유망 직업이 뭐가 있을까요?"라는 질문을 참 많이 받는다. 그럴 때마다 직업이 아닌 산업과 기술을 배워야 한다고 말씀드린다. 왜냐하면 4차 '직업' 혁명이 아닌, 4차 '산업' 혁명이기 때문이다. 명확히 알아야 한다. 산업 속에서 직업이 생성되고, 산업이 성장해야 직업이 발달하고 계속 유지된다.

자, 그럼 4차 산업의 정의를 정확히 정리하고 넘어가도록 하자. 4차 산업은 쉽게 말해 융합 산업이다. 가령, 스마트폰을 중심으로 스마트폰과 자율 주행, 스마트폰과 사물 인터넷, 스마트폰과 5G, 이런 식으로 융합하여 산업이 형성된다. 예

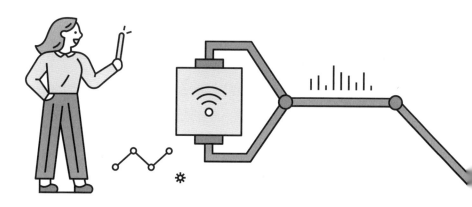

로 든 것처럼 IT와의 융합이 4차 산업의 중심이라 할 수 있지만, IT뿐 아니라 미술과 음악의 융합, 심리학과 과학의 융합, 스포츠와 음악의 융합 등 '융합' 자체가 중심 개념임을 명확히 알아야 한다.

직업이 아니라 산업이 중요합니다

예를 들어, 스마트폰 산업을 살펴보자. 우리 주위에서 가장 흔히 볼 수 있는 전자 기기가 무엇일까? 바로 스마트폰이다. 왜 흔히 볼 수 있을까? 세상의 부자들, 과학자들이 과거에는 컴퓨터를 중심으로 세상을 이끌었다면, 지금은 스마트폰을 중심으로 세상을 설계하고 있기 때문이다.

자, 애플과 삼성전자는 스마트폰을 만든다. 이 스마트폰을 활용해 페이스북과 인스타그램은 스마트폰과 연결된 SNS 사업을 한다. 또 텐센트, 엔씨소프트는 스마트폰을 활용한 롤, 클래시오브 클랜, 리니지 같은 게임을 런칭하고 있다. 아마존, 알리바바, 쿠팡은 모바일로 쇼핑 사업을 벌이고, 디즈니와 넷플릭스는 모바일로 콘텐츠를 제공한다. 세계에서 가장 부자인 기업 1~50위의 기업들 중 상당수가 모바일을 중심으로 사업을 하고 있다.

그럼 앞으로 스마트폰 산업은 어떻게 될까? 정체될까? 아니다. 무궁무진한 세계가 이제 시작이다. 예를 들어 스마트폰을 중심으로 한 자동차 산업이 시작될 것이다. 스마트폰으로 자동차를 조종하고, 자동차를 영화관과 사무 공간으로 만들 것이다. 자동차가 이제 움직이는 건물이 되는 것이다. 그래서 애플과 삼성이 세상의 슈퍼 인재들을 모아 스마트폰을 중심으로 한 애플카, 자동차 전장(전자 장비) 사업 등에 진출 중인 것이다. 그들이 스마트폰을 팔아 번 돈으로 자동차 사업을 하고, 인공지능에 투자하는 이유는 앞으로 그 분야가 엄청난 돈이 될 것이기 때문이다.

이처럼 직업이 아닌 산업을 이해하고, 채용 직원이 늘어날 산업에 대비한다면 대기업 입사 또는 자신의 회사 창업이 가능하다. 또 시간이 넉넉하므로 지금 부족한 능력에 대해 조바심을 갖지 말고 차분하게 준비하면 된다.

★ 지금은 3.5차 혁명쯤에 와 있다. 앞으로 대비할 시간은 충분하다.

★ 4차 산업을 대비하기 위해서는 융합 능력을 가져야 하고, 직업이 아닌 산업을 이해해야 한다.

앞길이 밝은 산업 vs 앞이 캄캄한 산업

"쌤! 저 돈 많이 벌고 싶어요!"

"쌤! 저는 취업 잘 되려고 대학 가는 거예요."

"쌤! 저는 창업해서 인스타그램 같은 회사 만들 거예요."

생각해 보자. 은행원이라는 직업이 앞으로도 유망할까? 교사가 되려는 것은? 건물주는? 부동산 공인중개사는 어떨까? 답은 'NO'이다. 반면 VR 증강현실 기술자, 한류 문화 콘텐츠 기획자, 친환경 자동차 연구원, 신약 개발 연구원 등은 'Yes'이다. 눈치 빠른 사람이라면 이들의 차이를 알아차렸을 것이다. 앞에 든 예시는 쇠퇴하는 산업, 전통 산업이며 뒤에 든 예시는 미래 지향성을 가지며 성장하는 유망 산업이다.

어려워 보이는 길에 답이 있습니다

아래에 4차 산업으로 분류되는 키워드들을 한번 살펴보자. 전 세계 잘나가는 기업들이 미래를 대비해 준비하고 있는 산업 분야를 모은 것이다.

4차 산업 키워드

- 사물 인터넷, 3D 프린터, 가상현실 VR/AR, 로봇, 인공지능, 스마트 디바이스, 스마트 그리드
- 5G, 통신 장비, 시스템 반도체, 반도체 장비 및 소재, OLED, LED, 친환경 자동차, 스마트 카
- 2차 전지, 에너지 저장 장치ESS, 탄소 배출 저감, 물 산업, 원자력 발전, 빅데이터
- 신재생 에너지(태양광, 풍력, 지열), 클라우드 컴퓨팅, 전자 결제, 게임 산업, 엔터테인먼트, 의료 기기 – 바이오, 고령화, 저출산, 1인 가구, 뷰티, 항공 우주, 드론, 방위 산업, 식량 자원, 스마트 시티, 스마트 팩토리(공장 자동화)
- 6g/7g, 인지 컴퓨팅, 인공 장기/의료, 뇌–컴퓨터 인터페이스, 지

능형 로봇, 희소 금속 리사이클링

■ 초고속 튜브트레인/하이퍼루프, 하이퍼 디스플레이, 초고용량 배
터리

위와 같은 산업 분야를 운영하는 기업들은 어떤 게 있을까? 모바일 플랫폼을 활용한 네이버와 카카오, 빅데이터를 활용한 온라인 회사 요기요, 배달의민족, 쿠팡, SSG닷컴, 로봇 의사가 도입된 가천대 길병원과 동아대학교병원, 5G 사업을 벌이는 통신사 등이다. 이런 회사들은 취업 희망 1순위로 생각해도 좋다. 왜냐고? 미래가 유망하기 때문이다. 미래가 유망한 산업을 추천하고 언급하는 이유는 단 하나다. 산업이 성장할수록 일할 사람이 많이 필요하기 때문이다.

진로 강연을 하면서 학생들에게 물었다.

"애들아, 뭐 느껴지는 게 있니?"

머뭇거리며 나오는 대답이 이렇다.

"하아……. 뭔가 어려워 보이는 분야들이네요?"

"맞아, 그거야! 그게 핵심이야."

"네?" 아이들 눈이 동그래졌다.

유망 산업의 첫 번째 조건은 학생들이 느낀 대로 '어려

위 보이는 분야다. 공학을 바탕으로 하는 분야이기 때문이다. 로봇과 자동차가 스스로 움직인다? 왠지 어려운 지식과 기술을 적용해야 할 것 같지 않은가?

4차 산업으로 예를 든 산업과 기술은 이처럼 대부분 과학, 공학, 전자 기기, IT, 모바일을 중심으로 한 영역이다. 이 말은 이 분야의 기초인 과학과 수학, 코딩을 잘해야 취업이 쉽고, 또 이런 분야를 창업해야 부자가 될 수 있다는 것이다. 슬프지만 그것이 현실이다. 과포자(과학 포기자), 수포자(수학 포기자), 코포자(코딩 포기자)가 되어서는 절대 안 된다. 배우기 어렵고 복잡한 분야의 급여가 높고, 배우기 쉬운 분야의 급여가 낮은 법이기 때문이다.

기계가 대신할 수 없는 일

유망 산업의 두 번째 조건은 상상력과 호기심이다. 사람이 하늘을 날면 어떻게 될까? 순간 이동을 하게 되면? 1알만 먹어도 배부른 음식이 나온다면? 시속 천 킬로미터인 자동차가 나온다면? 옛날 위인들을 직접 만나 볼 수 있다면? 나와 똑같은 사람을 한 명 더 만들 수 있다면? 몸에 카메라를 넣어서 수술을 한다면?

이런 상상은 무시해도 좋은 헛소리가 아니다. 돈이 되는 상상이고 기업들이 강조하는 창의성 인재의 필수 요소이다. 이러한 상상은 현실이 되고, 우리를 부자로 이끌어 준다. 호기심과 상상력은 도전과 혁신으로 이어지기 때문이다.

유망 산업의 세 번째 조건은 사람만이 할 수 있는 분야이다. 아무리 기계가 발달하고, 4차 산업이 발달해도 사람이 할 수밖에 없는 분야가 존재한다. 몸을 써야 하거나, 사고력과 창의력이 필요한 일은 기계로 대체할 수 없기 때문이다. 여러분의 손자의 손자 세대라면 몰라도 여러분과 여러분 자녀 세대까지는 이 법칙이 깨지지 않을 것이다.

의료 계통을 한번 생각해 보자. 수술용 로봇이 있다 해도 환자의 상태를 판단하고 수술을 이끄는 '사람' 의사는 여전히 존재할 것이다. 특히 환자를 간호하는 일은 더더욱 사람이 할 수밖에 없다. 예술, 운동, 기획, 컨설팅, 마케팅, 디자인 같은 분야도 비슷하다.

위 3가지 조건에 부합하는 산업을 준비한 선배들은 현재 만족스러운 급여를 받으며 편안한 삶을 살고 있다. 앞으로 여러분도 마찬가지다. 그러므로 성공한 선배들이 어떤 분야에 취업했고, 그 회사는 어떤 산업에 속하는지 조사해 보자. 그리고 위 3가지 조건에 맞게 앞으로 어떤 유망 산업에 관심을 가지면 좋을지 목표를 정해 보자.

1% 미래학자 레이 커즈와일이 예측한 상황이 실제로 현실이 되고 있다!

미래의 유망 산업/직무는 다음과 같다.

- 아날로그를 디지털로 전환하는 직무

  ex) 동대문 현장의 새벽시장이 온라인으로 바뀌다.

  ex) 은행 상담원이 사라지고, 변호사 상담도 앱으로 가능하다.

- 식량 안보, 미래 식량 관련 직종

  ex) 곤충 식량, 대체육, 세포육, 고효율 사료

- 수명과 질병에 대한 산업 발달

  ex) 탈모, 암, 희귀병 및 신규 질병 치료제 개발

- 보안 산업 발달

  ex) 해킹 산업, 오프라인 CCTV 확대, 24시 드론 순찰대, 블록체인

- 데이터 분석 전문가

  ex) 범죄자 동선 파악, 스포츠 분석 전문가

- 콘텐츠 산업 발달

  ex) 디즈니 vs 넷플릭스 vs CJ E&M

- 실버/시니어 산업 발달

  ex) 시니어 식품, 요양원, 패션

- 배송/배달 산업의 발달

  ex) 이마트 vs 배민 vs 쿠팡

- 의료 계열 (사람의 손이 필요하고, 사람의 판단과 도움이 필요한 분야)

  ex) 간호사, 치과위생사, 의사 등

- 친환경에 대한 의무화

  ex) 분리 수거 엄격, 환경 오염 유발 사업장의 규제 심화

이에 반해 은행원, 신규 교사, 공장 직원, 군인, 오프라인 가게, 공무원, 운전기사, 부동산 중개인 등은 미래에 사라질 것으로 예상되는 직업이다. 반면 새로 생기는 직업도 있으니 관심을 기울여야 한다.

새로 생기는 직업

- 인공지능 활용 사업

  ex) 네이버, 카카오

- 빅데이터 활용 사업

  ex) 티몬, 배민

- 로봇 활용 사업

ex) 공장 자동화

- ■ 5G보다 더 빠른 통신 사업

  ex) 6G, 7G

- ■ 친환경 사업

  ex) 테슬라 전기차, 현대 수소차

- ■ 콘텐츠를 통한 문화/한류 산업

  ex) VR 영화관, K-푸드, K-무비, K-웹툰

★ 융합하는 분야를 공부해야 부자가 되고, 취업이 되고, 창업에 성공한다.

★ 배우는 게 어렵다고 생각되는가? 모두 마찬가지다. 어려워하고 포기하는 사람이 더 많을 것이다. 초반의 위기를 넘기면 쭉쭉 넘어가게 된다. 파이팅하자!

★ 상상하라! '말하는 타요 버스' '말하는 뽀로로'가 현실이 되는 시대이다. '제정신이야?' 소리를 들어도 좋다. 실리콘밸리와 한국의 잘나가는 기업들은 상상력 가득한 인재를 원하고 있다.

코로나19가 바꿔 놓은
10대들의 미래

2020년 초, 코로나19가 전 세계를 덮쳤다. 생각지도 못한 감염병이 세계로 확산되면서 우리의 일상은 산산조각이 났고, 모두의 미래는 조금 바뀌어 버렸다. 천천히 다가오던 미래가 빠르게 도착하고 있다고 할까?

4차 산업이 빠른 속도로 현실화되고 있다. 앞서 설명한 유망 산업은 물론, 생각지 못했던 분야까지 코로나19로 인해 변화하기 시작했다.

대면 사회에서 비대면 사회로

흔히 코로나19로 인해 '언택트untact 시대', 즉 '비대면' 시대가 왔다고 말한다. '비대면'이란 얼굴을 마주 보고 대하지 않는다는 뜻이다. 쉽게 말해 집 밖으로 안 나가고, 사람을 만나지 않는 것이다. 대형 마트에 가는 대신 마켓컬리, 쿠팡, SSG, 지마켓 등 온라인 쇼핑을 이용하거나, 은행에 가지 않고 앱으로 은행 업무를 처리하는 생활이 정착되고 있다.

식당에 나가 음식을 사 먹는 것보다 배달 음식을 시켜 먹는 것이 더 빈번해졌고, 헬스장에 가는 대신 집에서 운동하는 홈 트레이닝이 자연스러워졌고, 학교에 등교하는 대신 온라인 수업을 경험했고, 극장과 콘서트장을 가는 대신 집에서 콘텐츠를 즐기는 유튜브, 넷플릭스가 활성화되기 시작했다. 최근 SM엔터테인먼트는 'beyond live'라는 비대면 콘서트를 런칭하여 AR 티켓과 응원봉을 파는 등 수익화에 성공하기도 했다.

이처럼 비대면 산업이 떠오르다 보니 온라인과 택배 관련된 산업에 돈과 기회가 쏟아지고 있다. 홈쇼핑 회사, 소셜커머스 회사, 택배 운송사, 박스 제조사, 포장 회사, 인터넷 결제 회사, 핀테크 사업, 홈페이지 회사, 클라우드 회사 등이 그 대상이다. 온라인 쇼핑몰을 런칭하는 사람도 크게 늘고 있다. 한마디로, 사람이 모여야 하는 사업에서 사람이 모이지 않아도 되는 사업으로 확 바뀌고 있는 것이다.

공장 같은 노동 현장 역시 마찬가지다. 사람이 많이 모이는 곳에서 바이러스 감염이 일어나면 생산이 중단되므로, 기업과 정부는 모든 생산 과정을 디지털 자동화하는 스마트 공장으로 전환을 유도하고 있다. 이러한 변화가 느껴지는가? 이제 우리는 생각과 진로의 방향을 언택트, 즉 비대면 산업 쪽으로 향해야 한다. 세상이 그렇게 바뀌었고, 문화가 바뀌고 있기 때문이다.

최고의 가치는 가족과 건강과 집에 있습니다

이렇게 비대면 사회가 되면 사람들이 가장 많은 시간을 보내게 되는 곳이 바로 집이다. 바쁜 현대 사회에서 집은 그저 먹고 자는 공간일 뿐이었지만, 코로나19를 겪으면서 집은 사무실이 되고 교실이 되고 있다. 집은 앞으로 더욱 중요한 공간이 될 것이다. 이제 집은 콘서트 공연장이 될 것이고, 카페와 PC방이 될 것이다. 원격 진료가 가능해지면 집은 병원이 되고, 입원실이 될 것이다 특히 회사는 비용 절감을 위해 재택근무를 장려할 것이다.

결국, 집의 중요성과 역할이 확대될 수밖에 없다. 모든 사람들이 '집'을 중심으로 생활하게 되니 집에서 사용하는 용품을 파는 사업, 밖에서 하던 일들을 대체할 사업들이 더욱 활성화될 것이다.

코로나19 감염 예방을 위해 사람들이 손을 자주 씻고 마스크를 착용하게 되면서 감기나 눈병 같은 계절성 감염이 눈에 띄게 감소했다고 한다. 개인위생을 철저히 하면 병에 걸리지 않는다는 인식이 뿌리를 내리게 되면서 사람들은 생활 습관을 개선하고 건강 관리에 더 많은 관심을 쏟게 되었다. 또한 평소 돈과 성공, 취업과 일에 가치를 두던 사람들이 건강과 가족에 대한 소중함을 절실히 느끼게 되었다. 회식을 하지 않고, 각종 모임에 참여하지 않으

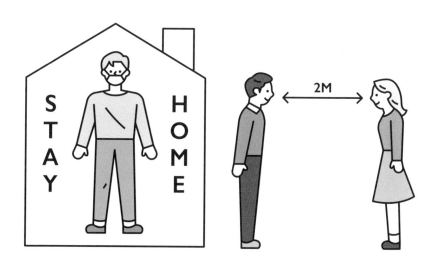

며 사회적 거리를 두다 보니 자연스레 집에서 가족들과 소통하고 함께하는 시간이 증가하였다. 가족 중심 문화가 자리 잡게 된 것이다.

이 부분이 제일 중요하다. **앞으로 제약/바이오 회사는 더욱 유망한 기업으로 성장할 것이다.** 세계 모든 나라가 코로나19로 고통을 받으면서 의학의 중요성을 뼈저리게 경험했기 때문이다. 그동안 진로에서 가장 주목해야 할 분야로 1순위 공학, 2순위 건강/보건, 3순위 재난 4순위 예능 계열을 꼽았는데 이제 2순위 건강/보건 분야를 더욱 강조해야 할 시대로 바뀌었다. 앞으로 원격 진료가 더 활발히 논의될 테고, 바이오 산업도 더욱 성장하게 될 것이므로 이 분야에 관심을 기울일 필요가 있다.

아는 만큼 기회가 보입니다

우리 속담에 '호미로 막을 것을 가래로 막는다'라는 말이 있다. 일이 커지기 전에 처리했으면 쉽게 해결될 것을 방치했다가 나중에 큰 힘을 들이게 된 경우를 이르는 것이다. 코로나19를 겪으며 경제 위기에 빠진 모든 국가들이 이 속담처럼 되지 않기 위해 움직이고 있다. 경제가 완전히 파탄 지경에 이르기 전에, 그러니까 호

168

미로 막을 수 있을 때 막기 위해 전 세계가 돈을 뿌리고 있는 것이다. 모두들 미래의 인프라 건설에 공격적인 투자를 늘리겠다고 한다. 스마트 공장, 전기 자동차 충전소, 5G 통신망 등이 그 대상이다. 모두 앞서 나온 표에 있는 산업들에 해당한다.

이러한 변화들은 우리 청소년들에게 오히려 좋은 기회가 될 수 있다. 왜냐고? 기업들이 해외에서 운영하던 지사와 공장이 많은데, 코로나19로 국경 봉쇄와 교류 단절을 경험하면서 국내로 사업장을 들여오는 사례가 늘고 있기 때문이다. 대표적으로 삼성전자, 현대자동차가 그런 움직임을 보이고 있다. 국내에 있어야 생산과 공급이 안정적으로 이루어지고, 무슨 일이 발생하면 내 나라와 내 국민부터 지켜야 하기에 국가와 기업이 국내에 더 많은 일자리를 만들게 되는 것이다.

그 밖에 코로나19 이후 큰 변화를 가져올 핵심 이슈를 뽑아 보면 다음과 같다.

- 가성비가 더욱 중요해진다.
- 외국인에 대한 경계심이 올라간다.
- 해외 여행에 대한 소비보다 국내 가족 단위 여행, 캠핑 소비가 늘어날 것이다.
- 가족이 함께하는 형태의 체험 사업, 교육 사업에 대한 수요가 증가할 것이다.
- 1인 문화, '나 홀로' 문화가 더욱 발달할 것이다.
- 기본 소득, 저소득층 지원에 대한 논의가 활발해질 것이다.
- 국가의 세금 징수가 더욱 엄격해질 것이다.
- 원격 산업(진료, 교육, 문화)이 더욱 활성화될 것이다.
- 혁신보다 안정성을 추구하는 성향이 높아질 것이다.
- 반조리식품, 배달 산업이 더욱 성장할 것이다.
- 질병뿐 아니라 재난에 대한 산업이 더욱 성장할 것이다.
- 전 산업의 디지털화가 가속화될 것이다.

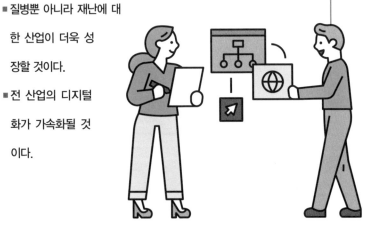

■ 유연 근무, 재택 근무, 스마트 워크가 더욱 활발하게 진행될 것

　　이다.

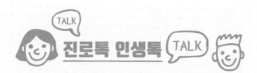

★ 코로나19 이후 세계는 비대면 사회로 빠르게 변화하고 있다.

★ 비대면 사회에 활성화되는 산업은 따로 있다. 이들을 주목하고 우리의
생각과 진로의 방향을 그쪽으로 향해야 한다.

★ 가족과 건강, 집에 대한 관심과 가치는 점점 더 높아질 것이다. 이로
인해 제약/바이오 등 건강/보건 관련 분야가 더욱 유망해질 것이다.

미래를 준비하는 3가지 방법

한번 생각해 보자. 학교 안에서 성공하고 싶은가? 학교 밖에서 성공하고 싶은가? 당연히 학교 밖일 것이다. 학교 안의 성공도 좋지만 그것은 결국 학교 밖에서 성공할 확률을 높이기 위한 것이다.

그럼 또 한 가지. 세상은 개인이 이끌어 갈까? 조직이 이끌어 갈까? 당연히 조직이다. 특히 국가(정부)와 기업이 우리가 사는 세상을 이끌어 가고 있다.

그러므로 우리는 고등학교를 졸업하고 세상에 나오기 전에 세상이 어떻게 흘러가고 있는지, 국가와 기업은 무엇을 준비하고 있는지, 앞으로 어떤 미래가 펼쳐질 것인지를 배우고 미리 준비하고 나와야 한다.

누구나 미래를 알고 싶어 한다. '내일 일도 모르는 게 인간'이라는 말도 있지만, 우리는 어느 정도 미래를 예측할 수 있고 미래가 어떻게 나아갈지 방향을 대략 알 수 있다. 현재 우리 주위에 그 힌트가 널려 있기 때문이다. 그렇다면, 우리 선배들이 어떻게 미래를 예측하고 어떤 방향으로 인생을 살아갔는지 살펴보도록 하자.

첫째, 1등을 따라 하면 성공합니다

어려운 말을 할 필요도 없다. 미래를 준비하기에 가장 좋은 방법은 1등을 따라가는 것이다. 1등은 계속 1등을 할 확률이 높기 때문이다. 미래? 솔직히 잘 몰라도 된다. 그냥 1등을 따라가면 그곳이 미래의 밝은 방향인 것이다. 1등은 1등을 유지하려 하고, 더 나은 1등이 되기 위해 노력하는 습관이 몸에 배어 있다. 1등은 성공의 냄새를 잘 맡는다. 돈 냄새, 사랑받는 냄새 등 긍정적인 냄새를 기가 막히게 잘 맡는다.

이는 어디에나 공통으로 적용된다. 연애를 잘하고 싶다면? 연애 잘하는 사람을 따라 해 보자. 분명 나와는 무언가가 다를 것이다. 공부를 잘하고 싶다면? 공부 1등인 사람의 습관과 공부 방식을 그대로 적용해 보자. 그렇게 하면 반드시, 조금이라도 성적이 오를 것이다.

　　이런 예는 어떤가? 부모님 생일상을 차리고 싶은데 요리를 잘 못한다면 어떻게 하는 게 좋을까? 이런 것도 1등을 따라 하면 해결이 쉽다. 바로 백종원의 레시피를 따라 하는 것이다. 성공 확률이 대단히 높을 것이다. 이렇게 1등을 따라가다 보면 1등이 꿈꾸는 미래를 따라갔기에 취업, 창업, 행복 등 자신이 원하는 결과물을 얻게 된다.

둘째, 증권사 리포트를 읽으면 유리합니다

1등을 따라 하기 위해서는 1등이 뭘 하는지 정확히 봐야 하지 않을까? 그러려면 1등을 분석해야 한다. 가령, 4차 산업의 1등이 궁금하다면 1등 국가 미국이 어디에 투자하는지, 1등 기업인 애플, 마이크로소프트, 테슬라, 삼성전자가 어떤 분야에 투자하는지 분석해야 한다.

고맙게도 모두에게 공개되는 선물이 있다. 바로 '증권사 리포트'이다. 이 리포트는 우리가 분석해야 할 기업들의 사업 영역, 사업 준비 상황, 미래 기술 등을 자세히 분석하고 있다. 앞서 말했지만 4차 산업은 기술이 융합되어 나타나는 세상이다. 그 말인즉슨 현재의 3차 산업, 3.5차 산업의 기술을 누구나 기본적으로 이해하고 있어야 한다는 것이며, 이를 위해서는 증권사 리포트 읽기가 최고의 방법인 것이다.

증권사 리포트를 읽는 손쉬운 방법이 2가지 있는데, 하나는 네이버에서 '한경컨센서스'를 검색하는 것이고, 다른 하나는 네이버 검색창 아래 '증권' 카테고리를 클릭하고 '리서치'를 눌러 산업, 경제, 종목 등의 리포트를 종류별로 보는 것이다. 이 리포트를 읽다 보면 4차 산업 관련 중견·중소기업이 우리나라에 생각보다 많다는 것을 알게 되어 진로에 큰 도움이 될 것이다.

증권사 리포트를 읽어야 하는 이유는 크게 3가지 이유 때문이다. 첫 번째는 리포트가 공짜라는 점이고, 두 번째는 최신 기술이 '주기적'으로 업데이트 되며, 세 번째는 회사라는 조직을 이해하는 데 큰 도움이 되기 때문이다. 기업의 경영과 미래 기술에 대한 공부가 미리 되어 있다면 준비된 인재로 부각되면서 취업 성공 확률이 높아진다. 가령, 면접에서 "5G는 5세대 이동통신 규약이라는 뜻으로 4세대인 LTE보다 속도가 20배 빠르며, 용량은 100배 많은 통신 산업입니다. 그래서 자율 주행에도, 사물 인터넷에도, 스마트 팩토리에도 5G가 필요한 것입니다"라는 설명을 내놓을 수 있다면 높은 점수를 받고 합격을 바라보게 될 것이다.

이처럼 증권사 리포트 읽기를 강조하는 이유는 대학 면접과 기업 면접에서 이 증권사 리포트에 나온 용어와 개념을 이야기하는 순간 그 학생은 다른 면접자들을 압도하기 때문이다. 이는 많은 학생들에게 이미 검증된 부분이다. 다른 학생들이 고만고만한 수준의 이야기를 늘어놓을 때 증권사 리포트를 읽은 사람은 현장에서 일하는 사람이 아니면 모를 용어와 개념을 설명하므로 면접관들에게 '준비된 인재'로서의 이미지를 주게 된다.

셋째, 미래 역량을 길러야 합니다

4차 산업 시대는 학벌이 부족해도 역량이 뛰어나면 인정받고 성공하는 시대이다. 앞서 말했지만 고등학교 졸업자도 실리콘밸리에서 일할 수 있고, 지방 대학교를 나와도 대기업에 취업할 수 있다. 문제는 역량이다. 학교 공부도 중요하지만, 더 중요한 것은 결국 세상과 기업이 원하는 역량을 갖추는 것이다. 학생들을 만나는 특강에서 이런 이야기를 하면 10대들의 눈이 초롱초롱해진다. '학교 공부는 못해도 미래 역량을 가지는 것이 중요하구나!'

증가세	감소세
분석적 사고, 혁신	손 기민성, 인내력, 정확성
적극적 학습, 학습 전략	기억, 언어, 청각, 공간 능력
창의성, 독창성, 주도성	회계, 원자재 관리
기술 설계, 프로그래밍	기술 설치 및 유지
비판적 사고, 분석	읽기, 쓰기, 수학, 적극적 경청
복잡한 문제 해결	인사 관리
리더십, 사회적 영향력	품질 관리, 시간 관리
감성 지능	협업, 시간 관리
추론, 문제 해결, 아이디어 생성	시청각, 구술 능력
시스템 분석 및 평가	기술 사용, 감독 및 통제

사회에서 요구하는 역량의 변화

다시 한 번 강조하고 싶다. 기업과 세상은 이미 3차 산업의 인재상이 아닌 4차 산업의 인재상으로 사람을 구하고 있다. 공부를 못해도 창의력이 좋으면 되고, 잘 분석할 수 있거나, 계획을 잘 세우거나, 말을 잘하거나, 친구들과 잘 놀거나 하는 것이 모두 다양한 성공 요소가 된다. 리더로서 경험이 많아도 좋고, 감수성이 풍부해도 좋다. 모든 것이 강점이 될 수 있고 역량이 될 수 있다. 입시를 열심히 준비하되, 생각을 바꾸어 '미래 역량'을 꼭 갖추기 바란다.

외국은 이미 스팀 교육으로
4차 산업을 준비하고 있다

결론부터 말하고 시작하려 한다. 우리는 모두 스팀 교육을 시작하고 훈련해야 한다. 세계에서 가장 앞서가는 실리콘밸리의 리더들, 부자들이 이미 스팀 교육으로 앞서 가고 있다. 여러분도 빨리 따

라 해야 한다. 그래야 10년 뒤에 취업과 창업에 성공할 확률이 높아진다. 이 말은 예언이 아니다. 대한민국 대기업과 실리콘밸리의 기업들이 인재들을 뽑는 노하우를 전달하는 것이다.

스팀 교육은 창의 융합 교육입니다

스팀 교육은 STEAMScience, Technology, Engineering, Arts, Mathematics 즉 과학, 기술, 엔지니어링, 수학, 인문과 예술을 아우르는 교육 개념이다. 쉽게 말해 '창의 융합 교육'으로 생각하면 된다. 특히 스팀은 토론식 학습을 추구하며 창의적 사고를 높이 평가한다. 창의적이지 않은 일들은 인공지능과 컴퓨터가 맡게 되므로 중요하지 않다는 것이다.

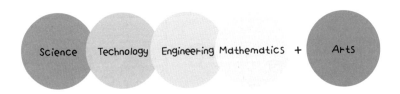

세계적으로 유명한 미래형 학교 '미네르바 스쿨'을 한번 살펴보자. 국내에서도 수많은 영재 교육원, 기업가 정신 캠프 들이 미네

르바 스쿨을 벤치마킹하여 커리큘럼을 만들었다고 한다.

미네르바 스쿨은 전통적인 학교 과목과는 다른 과목을 가르치고 있으며, 배움의 방식 역시 토론형, 실무형, 팀빌딩 형식으로 미래형 교육 방식을 채택하고 있다. 특히 인문학과 함께 자연과학, IT 과학, 경영학, 재무, 회계 등 실무적이며 미래 지향적 과목을 가르치며 미래형 교육에 중점을 두고 있다. 미래에는 미래형 커리큘럼과 각 과목이 융합된 스팀 교육이 필요하기 때문이다.

실리콘밸리와 국내 대기업이 뽑고 싶어 하는 직원 유형

- 평소 대화를 좋아하는 사람, 풍부한 어휘를 사용하며 화술이 뛰어난 사람
- 남들과 생각이 다른 사람, 창의적인 사람
- 도전 의식이 있는 사람, 앞장서서 하는 것을 좋아하는 사람
- 친구들과 노는 것을 좋아하는 사람, 웃음이 많은 사람
- 독서, 미술, 음악을 좋아하는 사람, 감성이 풍부한 사람
- 돈에 관심이 많은 사람, 사람과 사회에 관심이 많은 사람
- 고치고 만들고 분해하기를 좋아하는 사람

IT와 친해져야 합니다

간혹 독서 인재, 철학 인재가 되면 미래를 무난히 헤쳐 나갈 수 있다고 주장하는 사람들이 있다. 아주 틀린 말은 아니다. 모든 것의 근본인 '생각'의 힘 없이는 '창의성'도 있을 수 없기 때문이다. 하지만 인문학이 실용성을 보장해 주지는 않는다. 그래서 인문학도 우리가 배워야 할 스팀 교육의 여러 과목 중 하나로 존재한다. **정말 중요한 것은 인문학에서 배운 '사고력'을 활용하여 결국 IT로 구현하는 힘이다.**

당장 아이폰만 봐도, 인문학뿐 아니라 IT와 디자인이라는 전공이 만나 세계 최고의 스마트폰이 된 것이다. 어느 날 스티브 잡스가 '그래! 감성적인 핸드폰을 만들어야겠어!' 하는 생각으로 뚝딱 발명한 것이 아니다. 자율 주행 자동차 역시 '사람이 운전하지 않는 자동차가 있다면 어떨까?'라는 생각에서 출발했겠지만 기술과 결합되지 않으면 상상은 망상으로 끝나게 된다.

한마디로, 인문학만 공부했다가는 취업 전쟁터에서 패배할 수밖에 없다는 것이다. 기업은 인문학적인 소양을 바탕으로 하면서도 실무에 능숙한 사람, 즉 인문학과 기술을 융합하고, 인문학과 공학적 지식을 융합할 사람을 원하고 있기 때문이다.

그러므로 우리는 지금부터 융합을 생활화하고, IT와 친해지도록 노력해야 한다. 책을 사랑하되 그것을 결국 '실용화'할 수 있는 사람이 되어야 한다. 이론으로만 존재하는 것이 아니라 현실에 존재해야 돈이 되고 의미가 생기기 때문이다.

이제 세상은 기술 기반 세상으로 완전히 바뀌고 있다. 그러니 생각도 실용주의로 변화해야 한다. 가령, 자본주의 시대인 만큼 근로 소득보다는 특허권, 콘텐츠, 저작권 등의 무형 소득, 주식과 부동산 투자 같은 자본 소득으로 부자가 되는 시대임을 깨달아야 한다. 이제 스팀 교육의 방법과 노하우를 다음 장에 소개할 테니 기대하고 꼭 그대로 따라 해 보자. 우리가 해야 할 일은 그저 이 '스팀 교육'을 꼭 해야겠다고 마음먹는 것이다. 그것이 우리가 미래에 살아남을 유일한 방법이기 때문이다.

TALK 진로톡 인생톡 TALK

★ 세상은 IT 중심으로 완전히 바뀌고 있다. 문과생도, 이과생도 IT를 가까이해야 한다.

★ 세계의 앞서가는 기업들에는 스팀 역량이 뛰어난 사람들이 모여 있음을 명확히 깨달아야 한다.

★ 인문학도 중요하지만, 더욱 중요한 것은 융합하고 창의하는 능력이다.

스팀 교육을 해야 하는 네가지 이유

첫째, 기업이 창의 융합 인재를 1순위로 뽑고 있기 때문에

'경제가 어려워 수시 채용으로 전환했습니다. 그리고 2명 뽑을 걸 1명만 뽑겠습니다.'

2019년부터 한국의 기업들은 정규 채용에서 상시 채용으로 채용 방식을 바꾸고 있다. 이런 흐름은 앞으로 상당 기간 계속될 것이다. 미래가 불안하니 정기적으로 사람을 뽑지 않고 필요할 때만 뽑겠다는 것이다. 현장에서는 '스마트 팩토리'라는 자동화 시스템을 도입해 현장 인력을 줄이고 일부 관리직만 채용하고 있다. 미래에 있을 노동 인구 감소를 대비하고 인건비를 아끼기 위해서다.

가게나 식당에서도 '키오스크'라는 무인 주문기를 도입하는 곳이 늘고 있다. 기계가 저임금 노동자들의 일자리를 대체하고 있다.

경제가 어렵기에 기업은 3명 뽑았던 사람을 1명만 뽑고, 그 1명도 창의적인 사람을 뽑아 3명의 몫을 할 수 있는 인재를 뽑겠다고 하고 있다. 그래야 회사를 혁신하고 미래형 기술을 연구/개발하여 미래에도 회사가 존재할 수 있기 때문이다. **기업이 이처럼 창의 융합 인재를 원하고 있다는 것은, 결국 창의 융합이 가능해야 취업이 된다는 뜻이다.**

최근 들어 미국의 실리콘밸리, 국내 대기업들이 위와 같은 창의 인재 채용을 강화하고 있다. 학벌이 부족해도 창의력, 융합력이 있으면 뽑겠다는 것이다. 실제로 알파벳(구글), 애플, 인텔 같은 글로벌 기업들이 모여 있는 실리콘밸리에서는 카이스트나 서울대 출신 인재뿐 아니라 한국인 고졸 엔지니어, 지방대 출신 능력자도 오직 '능력'만으로 채용하고 있다.

이러한 기업의 흐름 때문에 대학에서도 학생의 자질을 체크할 수 있는 수시 입시를 통해 창의 인재를 뽑아가고 있다. 자기소개서에서 창의 경험, 창의적 사례를 주목하고 실전 면접에서 관련 질문으로 심사한 후 학생을 선발하는 것이다.

부모 시대와는 채용 방식이 완전 바뀌었고 산업 현장도 달라졌다는 것을 반드시 알아야 한다. 기업은 직원을 많이 선발하지 않으면서 창의 융합 인재만 골라 뽑으려 하고 있다. 누구든 취업을 하려면 창의 융합 교육을 해야 한다.

둘재, 창의 융합은 4차 산업의 핵심이기 때문에

드론과 군대의 융합 '드론 전투기'. 드론과 쇼핑몰의 만남 '드론 배달', 드론과 카메라의 융합 '드론 촬영기', 드론과 농업의 만남 '재해 방지 드론', 드론과 치안의 만남 '실종자 수색 드론', 인공지능과 로봇의 만남 '수술용 로봇' 등이 대중화되고 있다. 미래가 아닌 현실인 것이다. 인공지능과 로봇의 만남인 '스마트 팩토리', 즉 자동화 공장은 대한민국 정부가 보조금을 지급하며 전국 공장에 퍼뜨리고 있다. 이것도 미래가 아닌 현실이다.

　　인공지능과 회사의 만남인 인공지능 면접관은 이미 대기업에서 시행중이고, 무인 결제 가게 아마존 쇼핑몰은 미국에서 이미 운영 중이다. 반려견의 심장 박동 상태를 체크해 감정 상태를 체크할 수 있는 앱도 나와 있고, 저녁에 주문하면 다음날 아침에 물건을 받는 새벽 배송이 클릭 한 번으로 가능하다. 알아서 세탁물을 수거하러 오는 앱도 나왔다. 이러한 사례들은 모두 '창의 융합' 인재들이 만든 4차 산업형 장치로, 그동안 스팀 교육자들이 만든 생태계 속에서 우리가 알게 모르게 살아가고 있었음을 의미한다.

사람을 일하게 하는 것보다 기계를 이용하는 비용이 저렴해지면서, 사람의 노동이 더 이상 필요 없는 세상이 되고 있다. 시대가 '완전' 바뀐 것이다. 농촌에서 논밭을 갈던 소가 트랙터로 대체되었듯이, 도시에서 사람이 몸으로 하던 일들이 기계와 인공지능으로 대체되고 있다. IT 중심 세상이 되었다는 것을 깨닫고, 문과생이든 이과생도 IT에 관심을 기울여야 한다.

"아~ 저는 수학, 과학이 싫어서 문과에 온 건데요? 포기하면 안 돼요?"라고 묻는 학생이 종종 있다. 나는 웃으며 이렇게 대답한다. "응, 안 돼. 그리고 수학 과학 몰라도 IT 잘 할 수 있어. 꼭 관심을 가지렴. 그래야 취업에 유리해."

4차 산업의 역량을 가진 융합형 인재, 미래형 인재가 되지 않으면 언제라도 기계에 대체될 수 있다. 이미 IT 중심으로 돌아가는 세상에서 낮은 급여를 받고 싶다면, 창의적이지 않아도 된다. 하루하루 먹고살기에 허덕이는 삶을 살겠다면, 융합하지 않아도 된다. 다시 한 번 강조하지만 우리가 매일 사용하는 스마트폰과 앱, 컴퓨터, 자동차 등은 모두 창의 융합 인재들이 만들었다. 창의 융합이 세상을 이끌어 가고 있음을 깨닫자.

셋째, 부자가 되려면 창의 융합을 해야 한다

"쌤, 저 부자 되고 싶어요!"

"쌤, 저 건물주 되고 싶어요."

"쌤, 돈 많이 벌어 효도하고 싶어요."

"쌤~ 어떻게 하면 1년에 수억 벌 수 있어요?"

누구나 부자가 되고 싶어 한다. 그렇다면 분명히 알아야 할 사실이 있다. 몸을 써서 노동으로 부자가 되는 시대는 끝이 났다는 것이다. 어떤 말에도 속지 말자. 지금 시대에, 큰 부자가 되는 방법은 2가지밖에 없다. 즉, 창업해서 회사 사장이 되는 것과 돈으로 돈을 만드는 재테크뿐이다. 나 혼자 하는 생각이 아니다. 매년 각 은행에서 발간하는 VIP용 '부자 보고서'에 나오는 내용이다.

창업으로 부자가 된 사례를 살펴보자. '스마트스터디'라는 회사는 창의적인 콘텐츠로 부자 회사가 되었다. 바로 '상어가족' 캐릭터 때문이다. 핑크퐁, 상어가족 모두 새로운 한류 문화가 되어 전 세계에서 돈을 쓸어 담고 있다. 이 회사의 가치는 2,000억 원으로 추산되고 있다. 방탄소년단이라는 아이돌을 키워낸 연예기획사 '빅히트 엔터테인먼트'는 어떨까? 방시혁이 창업한 그 회사의 가치는 2020년 기준 2조 원에 달한다. 실로 어마어마하다.

또한 수많은 학생들과 학부모, 교사들이 사용하는 학교 알림장 앱 '아이엠스쿨'은 nhn엔터에 100억 원에 매각되었으며, 피지 제거 돼지코 팩을 만든 '미팩토리'는 미샤 브랜드로 유명한 에이블씨엔씨에 324억에 매각되었다. 스타일난다 쇼핑몰은 창업 14년 만에 외국계 회사에 약 6,000억 원에 매각되며 화제가 되기도

했다. 이들 회사를 창업한 사람들은 모두 어마어마한 부자가 되었다. 이뿐 아니다. 사람들이 많이 사용하는 애플리케이션의 주인들은 우리 생각보다 훨씬 많은 광고 수익을 올리고 있고, 유튜버들 중에도 한달에 천만 원 이상 버는 사람들이 많다.

위에 예로 든 스마트스터디, 빅히트 엔터테인먼트, 아이엠스쿨, 미팩토리, 스타일난다를 창업한 사람들의 공통점이 있다. 바로 20대 혹은 30대에 창업한 청년 창업가라는 점, 그리고 창의적인 소재들이라는 점이다. 계속 이어서 살펴보도록 하자.

여러분 주위에 있는 빵집이 수백억 부자라면 믿어지는가? 성심당은 튀김소보로빵을, 삼송빵집은 통옥수수빵을, 군산 이성

당은 야채빵을, 천안 뚜쥬르빵집은 거북이빵을 팔아 부자가 되고 있다. 모두 창의적인 빵으로 갑부가 된 좋은 사례이다. 이 외에도 특별한 떡볶이로 부자가 되거나 특별한 국수 메뉴로, 특이한 카페로 부자가 된 사람이 실제로 많다. **창의적이기만 하면 돈이 되는 세상이라는 것을 잊지 말자.** 그리고 창의는 누구나 할 수 있다는 것도 기억하자.

넷째, 창의 융합은 재미가 있다

박명수: "준하야, 너는 동생들한테 밥만 얻어먹지 말고 한번 좀 쏴라!"

정준하: "아 내가 뭘 맨날 얻어먹어~ 참 나~ 알았어~ 내가 오늘 쏠게. 그거 얼마나 얻어먹었다고!"

유재석: "오~ 형 이거 좋다~! 형이 한턱 쏘는 걸로 (방송) 한번 만들어 보자."

멤버들: "그래! 준하 형이 어느 가게를 무작정 들어가서 스태프들이랑 주변 사람들을 막~ 먹게 하는 거야. 그러다 일정 시간이 지나서 그만! 하고, 그때까지 먹은 것들을 눈대중으로 계산해서 얼마가 나오는지 (금액을) 맞추는 거지."

정준하: "야! 이번 편 재미는 내 피 같은 돈 쓰고 내 얼굴 울그락불그락해지는 게 재미냐? 어이가 없네!"

멤버들: "어, 맞아. ㅋㅋ 억울하면 잘 맞추면 되는 거야."

이렇게 얼토당토않아 보이는 대화가 방송 소재로 채택되며 대박이 났다. 2011년 인기 예능 프로그램 〈무한도전〉에서 일어난 일이다. 멤버들이 농담처럼 이야기한 것이 창의적인 기획물로 완성되어 높은 시청률을 기록하며 화제가 되었다. 그들이 그렇게 재미있는 프로그램을 구상하는 데 걸린 시간은 30분이 채 안 되었다. 이렇듯 주변 사람들과 웃고 떠들 때, 재미있는 일을 할 때 우리는 시간 가는 줄 모르고 몰입하고, 좋은 결과물로 이어지는 경우가 많다.

창의 융합을 하면 우리 뇌는 도파민과 세로토닌이 마구 분비되어 재미와 행복을 느낀다고 한다. 다른 말로 하면 사람은 원래 창의적으로 생각하도록 설계되었고, 재미가 있을수록 행복 호르몬이 넘친다는 것이다. 그렇다. 창의는 너무 재미있다. 시간 가는 줄 모르고, 희열이 느껴지고, 때론 표현할 수 없는 벅찬 감정을 느끼기도 한다.

창의성이 폭발하는 순간도 비슷하다. 책상에 앉아 혼자 연구하기보다는 동료와 대화하거나, 함께 놀고, 협업하는 동

안 발휘될 때가 많다. "야, 이거 좋은데? 오~!" 하면서 어느 순간 그 소재에 살을 붙여 가며 창의적인 기획물을 만들어 낸다. 가장 좋은 예로 2019년 약 40억 수입을 기록한 스타 PD 나영석을 들 수 있다. 이게 될까 싶은 프로그램들이 대부분 대박이 났다. 그는 〈삼시세끼〉, 〈꽃보다 할배〉, 〈꽃보다 누나〉, 〈윤식당〉, 〈신서유기〉, 〈알쓸신잡〉 등 만드는 프로그램마다 큰 인기를 얻고 방송계의 찬사를 받고 있다.

무얼 하든 재미있어야 하는 시대로 진입했다. 회의가 즐겁고, 토론이 즐겁고, 공부가 재미있어야 한다. 원래 스팀 훈련은 재미있는 것이다. 우리 모두 재미있는 미래형 공부를 선택하자. 재미없는 과거형 공부에 붙들려 있을 이유가 없다.

★ 실리콘밸리가 스팀 교육(창의 융합 교육)을 하는 이유는 4가지다.

첫째, 창의 융합을 뺀 나머지는 로봇과 인공지능이 다 하고 있기 때문에.
둘째, 창의 융합은 4차 산업의 핵심이기 때문에.
셋째, 미래에 큰 부자가 되려면 창의/융합만이 답이기 때문에.
넷째, 창의/융합 교육은 재미있기 때문에.

스팀 교육의 핵심 노하우
– 실용 창의력

같은 '그리기 도구'라고 해서 붓과
펜이 같다고 생각하는 사람은 없
을 것이다. 둘은 철저히 다른 것
이다. 그러니, 미래는 펜을 준비해
야 하는데 붓을 준비해서는 안 된
다. 마찬가지로 세상은 실용 창의성
을 요구하는데 그냥 일반 창의성을 기
르면 안 된다. 여기서 실용은 돈이 되는
것, 대중적인 것, 바로 써먹을 수 있는 것
을 의미한다.

돈이 되는 창의 vs 돈이 안 되는 창의

우리는 철저히 실용 창의력을 갖춰야 한다. 그래야 세상에서 인정받는다. 이는 말 그대로 '돈이 되는 창의 vs 돈이 안 되는 창의'를 의미한다. 세상은 어떤 창의를 원할까? 당연히 돈이 되는 창의다. 성공한 사람들은 어떤 창의를 하고 있을까? 당연히 돈이 되는 창의를 하고 있다. 아이디어는 좋으나 대중성이 없으면 시장에서 인정받지 못하고, 대중성이 있으면 큰 부자가 되는 길이 열린다. 이게 아주 중요한 부분이다. 아이디어만 있고 대중성과 실용성이 없다면 그저 괴짜에 그칠 뿐이다.

만약 인기 예능 프로그램에서 창의성은 있지만 시청률이 낮은 기획물을 만들었다면 결과적으로 그것은 좋은 창의가 아닌 게 된다. 시청률은 방송에서 광고 수익과 연계되는 중요한 결과물이기 때문이다. 예를 들어 나영석 PD는 창의와 대중성이 잘 결합된 프로그램을 만들어 '대박 PD'가 된 것이지 그저 실험정신이 강한 프로그램을 만든다면 조기 종영으로 사라질 뿐이다. 창의성의 대명사 아이폰이 기계 결함이나 불량 요소로 많이 팔리지 않았다면 스티브 잡스의 명예가 지금처럼 높을 수 있을까? 모두 '대중성', '실용성'이 있기에 가능한 것이다.

창업을 해도 마찬가지다. 회사를 세우든 가게를 차리든 돈이 되는 창의성을 발휘해야 한다. 분식집을 창업했다고 가정해 보자. 창의적인 상품 개발에 집중해서 '칼로리 폭탄 더블 마요 김밥'이라며 마요네즈를 듬뿍 넣은 김밥을 만들었다. 김밥 이름을 들은 사람들은 재미있어 했지만 살이 찌지 않을까 하는 두려움으로 주문을 하진 않았다. 그렇다면 이 창의는 실패한 창의가 되는 것이다. 반면, 인스타에 올리고 싶은 독특하고 예쁜 김밥을 만들어서 주문이 늘었다면 성공이다. 삼겹살 김밥, 명란 마요 김밥, 참치 마요 김밥, 제주 전복 김밥처럼 대중성과 창의성을 한꺼번에 잡은 김밥을 만든다면 특별한 가게로 인정받아 장사가 더 잘될 것이다. 이런 차이를 느껴야 한다. 세상과 기업은 돈과 대중성이 연결된 실용 창의력을 원하고 있다.

이처럼 우리는 실용 창의를 해야 한다. 일반 창의를 하면 안 된다. 꼭 기억하자. 돈이 될 창의력을 갖추었다면 기업마다 서로 모셔 가려고 경쟁할 것이다. 부자들은 이미 스팀 교육을 통해 일반 창의가 아닌 '실용 창의 교육'을 하고 있다. 그것이 세상에 필요한 창의력이다.

실용 창의력

스팀 교육이 암기에서 시작된다고요?

"강사님! 그럼 스팀 교육은 어떻게 해야 하나요?"

"네, 어렵지 않아요. 암기하세요! 많이 돌아다니세요! 신나게 수다 떠세요! 사람을 관찰하세요!"

"네? 암기를 하라고요? 암기는 구시대적인 방법 아닌가요? 그리고 수다 떨고 놀라고요?"

"네, 맞습니다. 스팀 교육을 어떻게 '시작'하는지 방법을 알려드리는 거예요. 시작을 암기로 하라는 것이지 스팀 교육 전체가 암기라는 뜻은 아니에요. 응용하고 발전시키는 과정을 위해 기본 재료는 암기하고 공부해야 한다는 거죠."

스팀 교육은 금괴gold bar를 만드는 과정과 같다. 금괴는 땅속에 묻혀 있는 금광석을 파내 용광로에 녹여서 순수한 금만 따로 추출해서 만든다. 그러니 가장 먼저 할 일은 금광석을 많이 모으는 것이다. 암기를 강조하는 이유 역시 마찬가지이다. 기본 재료가 많을수록 분해하고 융합할 거리가 많기 때문이다. 재료가 많으면 많을수록 더 좋은 요리를 만들 수 있기 때문이다.

그러므로 가능한 한 많이 암기하고, 정보를 흡수해야 한다. 독서, TV 시청, 유튜브 시청, 수다, 회의 등 '정보 획득'과 관련된 모든 활동이 스팀 훈련의 시작이다. 놀면서 즐겁게 하는 게 중요하다.

"엄마 아빠! 저 지금 노는 게 아니라 스팀 교육 하는 거예요!"라고 말해도 되니 꼭 많이 보고, 읽고, 말하고, 쓰고, 정리하기 바란다.

수다 떨고 설명만 하면 1등이 됩니다

여기서 가장 중요한 핵심은 이것이다. 어떤 체험을 하든지 반드시 '정리'의 과정을 거쳐야 한다. 그저 눈으로 읽거나 시청만 하고 끝내면 '시간을 때우는 것'에 그치고 만다. 실제로 학교나 학원에서 수동적으로 수업을 듣고 있을 때와 TV 예능을 시청할 때의 뇌파가 같다고 하니 수동적인 학습이 얼마나 쓸모없는지 알 수 있다.

"너는 그 드라마 어땠어?"

"나는 이런 점이 좋았고 이런 점은 마음에 안 들더라."

"응, 나도 마무리가 어색하다고 생각했어. 내가 감독이라면 다르게 풀어 갔을 텐데."

"나도 그런 결정을 한 주인공 심리가 이해되지 않았어."

TV 드라마를 보더라도 친구끼리 이러한 토론이 있어야 한다. 뉴스에 나오는 시사 이슈들에 대해 의견을 나누는 것도 좋다.

독서도 마찬가지다. 책을 읽고 나서 그냥 덮어 버리고 만다면 제대로 남는 게 없다. 나만의 한 줄 평을 써 보자. 카피라이터처럼 멋진 문장으로 표현한다면 더욱 좋다. 간단히 줄거리와 느낌을 기록하는 독서 감상문도 유용하다. 가족과 체험학습을 다녀온후에도 감상을 기록하는 습관을 들이자. 블로그나 인스타에 사진을 올리고 새롭게 알게 된 점이 있다면 자세히 기록해 두는 것이

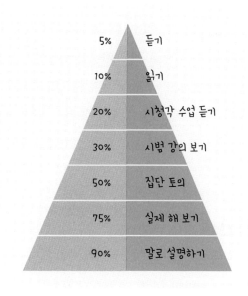

**학습 피라미드: 남에게 설명하고
스스로 체험하고 신나게 토론하면 그 내용은 내 것이 된다.**

다. 재미있는 영상을 만들어 유튜브에 올려 보는 것도 좋다. 단순히 즐거운 시간을 보내고 끝나는 게 아니라, 어떤 방식으로든 '정리'를 해 두어야 최종적으로 내 것이 된다.

앞(199쪽)에 나온 피라미드는 어떤 방식으로 학습할 때 가장 큰 효과를 거두는지 보여 주고 있다. 수동적으로 강의를 듣거나 단순히 읽는 것은 거의 기억에 남지 않는다고 한다. 그런데 다른 사람에게 말로 설명하면 90% 이상 내 것이 된다. 이 밖에도 몸으로 체험하기, 그룹 토의, 셀프 테스트 같은 능동적 훈련이 지식을 온전히 내 것으로 만들어 준다.

그러니 친구에게 과외를 한다 생각하며 가르쳐 보자. 암기 시합을 해도 좋다. 온 몸으로 웃고 떠들면서 체험해 보자. 시끄럽게 토의하며 정리해 보자. 그렇게 하지 않으면 기억은 3일 안에 90% 이상 사라지고, 융합 역량을 쌓을 수 없다. 잊지 말자. 누군가를 가르치거나 몸으로 기억하는 것이 최상의 학습이다.

4P로 스팀 완성!

재료를 충분히 모았다면 이제 요리할 시간이다. 요리를 할 때도 조건이 있다.

1. 재미가 있어야 한다.

    = 웃음과 수다가 쏟아지는 과정이어야 한다.

2. 돈을 벌 수 있는 요리여야 한다. = 대중성이 있는 요리여야 한다.

3. 여럿이 함께 해야 한다. = 친구들과 노는 것처럼 해야 한다.

4. 끝판왕 깨기처럼 '미션'으로 해야 한다.

    = 지루하고 긴 업무가 아니어야 한다.

위의 예시들은 창의의 4P 원칙인 'Play' 'Pay' 'Peers' 'Project'를 보여 주고 있다. 놀면서 해야 하고, 돈이 되어야 하고, 친구들과 함께 해야 하고, 목표가 있어야 하는 것이다.

예를 들어 나영석 PD가 만든 예능 프로그램 〈신서유기〉를 살펴보자. 출연자들이 많고, 재미있게 노는 것처럼 하며, 매회 프로젝트가 있다. 게다가 출연료를 많이 받는다. 연출자도 수십 억을 번다. 방송국도 돈을 번다. '4P 원칙'에 들어맞는다.

또 다른 예로 실리콘밸리의 부자들을 살펴보자. 한국과는 업무 분위기가 다르다. 자유로워 보이고 어쩐지 노는 것 같은 분위기다. 출근을 안 해도 되고, 출근 시간을 자기 마음대로 정할 수 있다. 회의도 딱딱하게 하지 않고 마음껏 의견을 주고받는다. 그런데 돈도 많이 받는다. 그 결과는 세계 최고의 부자 기업이다.

'만약에' 놀이를 하라. 고정관념을 버리고 틀을 깨트리며 엉뚱한 상상을 하라.

　　ex) 만일 아프리카 사람들이 인터넷을 할 수 있게 하려면? 드론 와이파이 = 큰 돈
　■ 만일 내가 하늘을 날아다닐 수 있다면? 1인용 드론 자동차 = 큰 돈
　■ 만일 하루 만에 택배 배송이 가능하다면? 샛별배송, 로켓배송 = 큰 돈

결과 중심으로 거꾸로 분석해 오라.

　　ex) 어떻게 하면 돈을 벌지? : 보통 사람의 생각이다. 질문을 바꿔보자.
　■ 큰 돈을 버는 사람들은 뭘 해서 부자가 되었지? 이것이 부자의 생각이다. 여기서부터 출발해 부자의 50대 - 40대 - 30대 - 20

대 - 10대, 이렇게 거꾸로 분석해 온다.

뒤집고, 반대로 하라.

ex) 풀은 접착력이 좋아서 잘 붙어야 한다. 그런데, 접착력이 약하고 잘 떨어진다?

- 포스트잇이 되다

제거하라. 단순하게 하라. 짧게 하라. 깔끔하게 하라. 심플하게 하라.

ex) 광고 카피는 짧을수록 좋다.

ex) TV 프로그램 〈골목식당〉에서 백종원 대표가 자주 하는 말 : "메뉴 좀 빼세유! 한 가지에 집중해서 전문점으로 가세유~."

ex) 5인조 아이돌 그룹에서 2명으로 유닛을 만들다

모방하라! 좋은 것을 따라 하며 약간만 바꾸고, 약간 바꾼 것을 멋지게 포장하라.

- 대박 난 사업이 있다면 아이템만 바꾸어 판매할 수 있는 것을 생각하라.

ex) A업체가 치즈돈가스를 만들면 B업체는 모짜렐라 치즈돈가스를 만듦 = 큰 돈

- C업체가 콜롬비아 커피를 만들면 D업체는 프랑스 원두커피를 만

듦 = 큰 돈

더하라 / 연결하라 / 어울리지 않는 것을 붙여
보라.

    ex) 아프리카+대구 = 대프리카

    ex) 영화 제목, 노래 제목 만들기 = 8월의 크
리스마스, 살인의 추억

    ex) 아이돌 에이스만 모아서 슈퍼 그룹 만들기 = 아이즈원, 슈퍼
엠, 워너원

- 비판적으로 사고하라. 의심하라. 상식을 조금만 바꾸어 보라.

    ex) 육아와 살림은 여성이 해야 한다는 사고, 남성만 무거운 것을
든다는 사고

기타

- 남보다 더 질문하라. 남들과 토론하라. 남들과 수다를 떨라.
- 논리적으로 생각하라. 단계적으로 생각을 키우라. 생각 코딩을
하라.
- 집 안에 있지 말라. 밖으로 나가라. 익숙한 환경을 벗어나라.

이제 세상은 스팀 교육에 익숙한 사람들이 이끌어 가고 있다. 우리도 스팀 교육을 서둘러야 한다. 그냥저냥 시간을 흘려보내며 학교를 졸업하는 것만으로는 안 된다. 스팀 교육은 독서와 인문학이 강조하는 '생각하는 힘'의 종착역이며, 꿈을 이루고 자신이 원하는 삶을 살기 위한 최고의 수단이다. 현재와 미래를 정확히 분석하고 준비하지 않으면 우리는 상위 1%의 수단이 되고 마는 것을 명확히 알아야 한다.

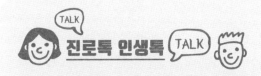

진로톡 인생톡

★ 그냥 창의적이기만 하면 안 된다. 실용적인 창의, 즉 돈이 되는 창의가 되어야 한다.

★ 재료가 많아야 요리가 잘 된다. 유튜브, 독서, 학교 밖 경험을 많이 하고 정리하라.

★ 학습한 것을 머리에 남기려면 남을 가르치고 수다를 떨라.

★ 4PPlay, Pay, Peers, Project를 기억하고, 남들과 다르게 하려고 노력하라.

5장.

내가 원하는
나,
나의 미래

완벽한 행복 솔루션

엄마도 엄마 인생에
내가 전부였어?

— 방송인 김태진

결국,
남는 것은 가족이다

죽음을 앞둔 사람들이 가장 많이
아쉬워하는 것은 사랑하는 가족과 함께 더 많은 시간을 보내지 못
한 것이라고 한다. 갑자기 죽는 이야기를 왜 할까? 바로 인생의 목
적을 제대로 알기 위해서다. 인생의 시작과 끝을 알아야 인생을 아
름답게 디자인할 수 있기 때문이다. 누구나 알고 있듯이 인생은 만
남이 있으면 이별이 있고, 탄생이 있으면 소멸이 있다. 우리는 모두
언젠가 죽는다는 것이다.

　　이 말을 자칫 오해해서는 안 된다. 인생은 허무한 것이니 대
충 살자는 것도 아니고, 한 번뿐인 인생이니 실컷 즐기다 가자는
것도 아니다. **인생의 의미를 제대로 알고, 나라는 존재가 태어**

난 것이 얼마나 큰 축복인지 알자는 것이다. 세상은 아직 우리가 경험해 보지 못한 재미나고 놀랄 만한 것들이 너무 많다.

인생은 유효 기간이 있습니다

몇 년 전 스티브 잡스가 세상을 떠나기 전 남긴 글이라며 인터넷에 널리 퍼졌던 글이 있다. 스티브 잡스가 아니라 다른 사람이 쓴 글로 밝혀졌지만 사람들에게 큰 울림을 주었던 것만은 사실이다. 내용을 한번 살펴보자.

나는 비즈니스 세계에서 성공의 최정점에 도달했다.

하지만 '부'라는 것은 내 삶의 일부일 뿐이다

이 세상에서 가장 비싼 침대가 무슨 침대일까? 그것은 병들어 누워

있는 침대이다.

병들어 침대에 누워 나의 지난 삶을 회상하자면, 내가 그토록 자랑

스럽게 여겼던 주위의 칭찬과 막대한 부는 임박한 죽음 앞에 다 부

질없어졌다

나는 생명 보조 장치에서 나오는 푸른빛을 바라보고, 웅웅거리는

기계 소리를 들으며 죽음이 더 가까이 다가오는 것을 느낀다.

이제야 나는 멈추어 깨닫는다. 생을 유지할 적절한 부만 축적된다면, 더 이상 돈 버는 일과 상관없는 다른 일에 관심을 가져야 한다는 것을 말이다.

예를 들어 인간관계, 예술, 어린 시절 가졌던 꿈과 같은 것들이다.

쉬지 않고 돈 버는 일에만 몰두하다 보면 결국 죽음 앞에 후회와 아쉬움이 남게 된다.

물건은 잃어버려도 찾을 수 있지만 '삶'은 잃어버리면 찾을 수 없다. 그저 끝이다.

누구나 인생이라는 무대의 막이 내리는 날을 맞이하게 되어 있다.

가족에게 더 잘하고, 타인에게 사랑을 나누며, 스스로를 더 돌아보기 바란다.

인생은 다시 오지 않는다.

다시 말하지만 인생은 유효 기간이 있다. 갑작스러운 이별부터 느린 이별까지, 결국 사랑하는 가족을 떠나보내야 한다. 그러니 후회가 없으려면 평소 가족에게 잘해야 한다. 시간 나는 대로 추억을 쌓고 영상과 사진으로 남기면서, 큰 행복 한 번을 추구하기보다는 날마다 작은 행복이 있는 삶을 살아야 한다.

세상에서 나를 가장 아끼는 사람

"아버님, 만일 앞으로 살 날이 딱 1년 남았다면, 그 1년간 당신의 꿈을 이루는 것과 5억 원을 받는 것 중 무엇을 선택하시겠어요?"

"저는 5억이요. 제가 10년을 일한다고 해도 5억을 어떻게 벌어요. 그 돈이라도 우리 아들, 딸 주면 지금보다 훨씬 행복하지 않을까요? (잠시 눈물을 닦으며) 생각만 해도 좋네요."

다른 아버지도 비슷한 취지의 말을 한다.

"지금 제 꿈이요? 나중에 우리 딸한테 피해 안 주고 시집갈 때 보태줄 정도로 돈 버는 거예요."

위 대화는 〈아버지의 꿈〉이라는 유튜브 영상에서 나온 대화이다. 가족이 함께하는 진로 특강 때에 이 영상을 보여 주었더니 강연장이 눈물바다가 된 적이 있다. 부모는 오랜 시간 자식을 위해 노력하고 헌신한다. 그저 자식이 잘되고 내 가족이 행복하길 바라서이다. 실제로 성공한 부자들 중 많은 사람이 '가족' 때문에 꿈을 포기하지 않고 노력했다고 밝히는 경우가 많다. 이처럼 가족의 행복은 우리에게 강한 동기 부여가 된다.

언제 한 번 책상에 앉아 진지하게 유언장을 써 보자.

'죽기 전에 꼭 해야 할 일, 꼭 하고 싶은 일은 무엇이 있을까?'

'고생하는 가족을 위해 내가 어떻게 살아야 하고, 무엇을 해야 할까?'

'가상의 장례식을 치른다고 가정한다면 가족과 친구들에게 남기고 싶은 말은 어떤 게 있을까?'

꼭 한 번 실제로 종이에 적어 보기 바란다. 뜻밖의 감정을 느끼고 생각이 정리되는 효과가 있을 것이다.

인생에서 가장 소중한 사람은 가족이다. 친구도 물론 소중하지만 일단 가족에게 잘해야 한다. 무슨 일이 생겨도 내 편에 서 주는 유일한 존재가 가족이기 때문이다. 부모님을 생각하며 열심히 살고, 무엇보다 부모님께 감정을 잘 표현해 보자. '고맙습니다, 사랑해요…….' 가족과 언젠가 이별할 때 후회하지 않기 위해서 말이다.

★ 세상에서 나를 가장 아끼고 사랑하는 사람은 가족이다. 언젠가는 이별하니 가족에게 잘하자.

인생에는
3번의 큰 기회가 온다

기쁜 소식을 주고 싶다. 인생에는 큰 기회가 최소 3번, 작은 기회가 수십 번 오게 되어 있다. 믿지 못할 수도 있지만 사실이다. 사회생활을 하는 어른들에게 물어보면 확인할 수 있다. 아마도 이런 종류의 대답이 돌아올 것이다.

"음, 생각해 보니 맞는 것 같네. 정말로 몇 번은 기회가 있었던 것 같아. 집을 살까 말까 고민하다 안 샀는데 그때가 돈을 벌 수 있는 큰 기회였더라고. 그 기회는 놓친 것이고. 가만있자, 그리고 또, 유학을 갈까 말까 엄청 고민했는데 다녀와서 외국계 회사에 취업할 수 있었으니 그건 큰 기회를 잘 잡았다고 볼 수 있겠네."

10대는 '가장' 중요한 시기가 아닙니다

그러니 혹시 10대 시절에 원하는 대학을 못 갔다 해도 지나치게 낙심할 필요는 없다. 원하는 대학, 명문대를 가면 조금 유리한 것은 사실이지만 그것이 100% 성공을 보장하는 것은 아니기 때문이다. 학생들이 최선을 다해 대학 입시를 준비하는 것은 아주 옳고 바람직하다. 하지만, 혹여나 1단계라 할 입시에 실패했다 해도 2단계에서 다시 비슷한 성취를 이룰 수 있는 기회가 반드시 있다. 이미 수많은 선배들이 2단계, 3단계의 기회를 통해 1단계에 성공한 사람들과 마찬가지로 잘 살아가고 있다. 나역시 마찬가지다.

- 10대 : 대학 입시, 진로 설정
- 20대 : 진로 설정, 취업, 창업, 인맥
- 30대~50대 : 재테크, 취업, 창업, 결혼, 인맥, 진급, 건강

2단계 기회는 20대 시기로, 올바른 진로 설정을 통해 취업이나 창업에 성공하는 경우가 상당히 많다. 고졸 공무원 시험 응시, 기술 학원 등록, 대입 재수, 전공 변경, 유학 등을 예로 들 수 있다. 또한 대기업, 공기업, 공무원, 중견 기업, 중소기업 중 어떤 회사를 선택하고, 어떤 직무를 하느냐에 따라 인생이 달라지기도 한다. 실제로 이 시기는 공부 상위 1%를 제외한 모든 청년들에게 매우 중요한 시기임을 꼭 알아야 한다.

자, 이제 가장 중요한 3단계를 알아보자. 사람들은 흔히들 10대 시절이 '가장' 중요하다고 하지만, 그렇지 않다. 오히려 인생 성공의 비중은 3단계가 제일 무겁고, 3단계부터 친구들과 자산, 인생, 행복도의 격차가 극명하게 나뉜다. 1, 2단계에서 원하는 바를 얻지 못했다 해도 3단계의 재테크, 창업, 이직 등을 통해 원하

는 인생을 살 수 있다. 뒤집어 말해 이것은 1, 2단계에서 좋은 결과를 얻었다 해도 3단계에서 건강을 잃거나 자산 증식을 제대로 하지 못해 1, 2단계가 무의미해지는 경우도 상당히 많음을 의미한다. 그만큼 3단계가 대단히 중요하다.

예를 들어, 우리는 3단계에서 누군가와의 결혼을 통해 중요한 변화를 맞이하게 된다. 결혼 상대자의 연봉, 직업, 집안, 건강, 성향이 나의 인생에 큰 영향을 미치기 때문이다. 이것은 굉장히 현실적인 부분이다. 결혼은 사랑이 우선 조건이기는 하지만 경제적 조건과 가치관, 집안 분위기 등이 복합적으로 영향을 주고받기 때문이다. 또 20대에 모은 자본금을 기반으로 부동산과 주식을 중심으로 한 재테크에 집중하게 된다. 여기서부터 자산이 극명하게 나뉘기 시작한다.

A 35세	B 35세
대기업 근무, 연봉 6,000만 원	지방 중소기업 근무, 연봉 3,500만 원
재테크 X, 오직 저축	재테크 O, 주식/부동산 투자 활발
총자산: 4억	총자산: 7억

자본주의 시대, 어떤 선택을 해야 편하고 안정적인 삶을 살 수 있을까?

20대는 사실 수많은 실패를 경험할 수밖에 없는 시기이다.

10대 시절에 공부만 했지 인생 교육을 제대로 받지 못했기 때문이다. 이때의 실패는 당연한 결과물이다. 오히려 이때의 경험을 토대로 30대와 40대에 인생의 황금기를 맞게 되는 경우가 더 많다. 미국을 비롯한 전 세계 창업 부자들의 성공 평균나이가 10대, 20대가 아닌 37.2세인 것이 이런 사실을 입증하고 있다.

그러니 안심하라. 지금 돈과 능력이 없더라도 우리는 반드시 잘될 것이다. 진로 설정을 잘하고 경험을 쌓아 가면 37세 즈음에 부자가 되고 명예를 얻게 될 것이다. 그런 후에는 건강의 중요성을 체감하며 노력하여 또래에서 건강 격차가 벌어지게 만들 것이다. 그것이 인생의 본질이다. 우리는 누구라도 건강을 잃은 부자보다는, 돈이 부족해도 건강한 일반인을 선택할 테니 말이다.

★ 인생에서 기회는 3번 이상 꼭 온다. 그 기회 중에 1번만 잘 잡으면 된다. 긍정적으로 인생을 바라보라.

원하는 삶을 살려면
돈이 필요하다

"돈은 참 좋아. 많은 것을 할 수 있게 해 준다는 거야"

– 영화 〈머니볼〉에서

"돈이 있어야 꿈도 꾸고 마음도 쓰는 거잖아요? 저, 우리 엄마 집도
사 주고 싶고요, 우리 아빠 똥차도 바꿔 주고 싶어요. 그게 다 내 마
음인데 그게 다 돈이잖아요."

– KBS 드라마 〈쌈, 마이웨이〉에서

당신의 삶의 문제가 해결되지 않는다고요? 그렇다면 당신의 돈이 부

우리 사회는 돈을 잘 버는 사람은 계속 잘 벌고, 돈을 못 버는 사람은 계속 못 버는 '양극화'가 심해지고 있다. 그런데 아이들이 "선생님, 저는 건물주가 되고 싶어요." "저는 돈을 엄청 많이 벌고 싶어요. 부자가 목표에요"라는 말을 하면 '돈을 추구하는 것은 좋지 않다'든지 '일단 공부나 열심히 하라'는 말을 하며 진지하게 귀를 기울이지 않는 어른이 많다. 심지어 돈을 추구하면 마치 돈벌레이고, 죄인이고, 뭔가 잘못된 걸 하려는 사람으로 인식해서 꾸짖는 어른도 있다.

이것은 잘못되었다. 그리고 단호하게 말해 주고 싶다. 세상에 돈 싫어하는 사람은 없다. 누구나 돈에 대한 욕심과 열정이 있다. 돈 자체는 나쁜 게 아니다. 돈을 나쁘게 쓰고 제대로 쓰지 않는 어른들이 나쁜 것이다. 돈을 벌려고 하는 과정이 정직하고 올바르면 돈은 많으면 많을수록 좋은 게 사실이다. 그러므로 돈에 대해 제대로 관심을 쏟는 것이 필요하다. 특히 돈을 좋아하고, 돈을 벌기 위해 욕심을 내야 한다. 돈은 인생의 원동력이 되고, 활기가 되고, 우리 삶의 보호막이 된다.

특강에서 만나 보면 10대들도 이미 돈의 중요성을 많이들 알고 있다. 그리고 장래희망으로 유튜브 크리에이터, 건물주, 공무원, 전문직을 원하는 아이들이 많다.

"유튜버가 되면 즐겁게 돈을 벌 수 있지 않나요?"

"빨리 돈 벌어서 편하게 살고 싶어요!"

"건물주가 되면 힘들게 일하지 않아도 되잖아요."

"돈 많으면 엄마 아빠 고생 안 하셔도 되거든요."

아이들은 벌써 현실의 추위를 느끼고 있고, 돈의 중요성을 체감하기에 '돈을 많이 벌고 싶다'는 말을 많이 하고 있다.

사실 어른들이 명문대를 가라 하고 의대를 권하는 이유도 돈을 많이 벌 수 있는 기회를 얻기 때문이다. 아니면 전문직, 대기업을 왜 권하겠는가? 좀 더 대우를 받으며 일하고, 더 많은 돈을 벌기 때문이다. 아니라고 하면 거짓말이다. 돈을 벌고 싶어 하는 것은 전 세계 모든 사람의 열망이다. 돈이 있어야 가족이 아플 때 병원비를 낼 수 있고, 가족의 생계를 유지하고, 어려울 때 안정감을 주는 최고의 친구가 되어 준다.

가령, 아플 때 돈이 없다고 생각해 보자. 배가 고파 쓰러질 지경인데 음식을 살 돈이 없다면? 사랑하는 사람이 공부를 하고 싶은데 돈이 없어서 못한다면? 어떤 기분이 들까?

여러분이 어른이 되면 이런 일을 진짜로 겪을 수도 있다. 그러니 우리는 살기 위해서도, 행복하기 위해서도 돈을 벌어야 한다. 많이 벌어야 한다. 진로 교육의 목표도 이와 같다. 돈을 많이 벌고, 하고 싶은 일을 하며 행복하게 살려는 것이다.

돈을 싫어하는 사람은 없습니다

"쌤, 현실적인 이야기 해주셔서 고맙습니다!"

"진짜 돈 많이 벌 거예요!"

"돈 많이 벌고 싶으니까 좋은 대학 가도록 노력해 볼래요."

"부모님이 힘들게 돈 버시는 것 알았으니 진짜 열심히 공부할게요!"

진로 특강에서 돈에 대한 이야기를 구체적으로 하게 되면 현장에서 이처럼 큰 반응이 온다. 교사도 학생도 마찬가지이다. 내 강의 실력 때문이 아니다. 누구나 바라고 관심이 많은 '돈'으로 동기 부여를 하기 때문이다. 강연을 하면서 현금을 나누어 주기도 한다. 돈을 가까이 하고, 돈을 좋아해야 돈에 대한 긍정적 생각을 가지게 되고, 돈을 많이 벌겠다는 결심을 하는 데 자극이 될 수 있기 때문이다. 나는 이 책을 읽는 여러분이 부자가 되기를 소원한다. 정말 진심으로 바란다. 남들 놀 때 열심히 책을 읽고 있는데 남들과는 다른 달콤한 보상이 생겨야 하지 않겠는가?

　　미래에 안정적인 생활을 하려면 돈이 반드시 필요하다. 실제로 돈이 많으면 가정에서 다툼이 줄어들고, 열심히 번 돈을 효과적으로 잘 쓰면 지역 경제가 활성화된다. 또한 부자가 되면 사회에 좋은 일도 많이 할 수 있다. 가령, 가정 형편이 어려운 학생들에게 장학금을 줄 수도 있고 희귀병으로 고생하는 어린이를 도울 수도 있고 누군가의 자립을 도울 수도 있다. 자금을 바탕으로 회사를 창업하면 사회에 일자리를 만들게 되니 나라 경제에 큰 역할을 할 수도 있다.

　　돈을 부정적으로 보며 멀리하라는 사람을 절대 믿지 말라. 만일 10대부터 노력하여 20대, 30대에 부자가 되면 가족을 비롯해 친척, 친구, 모두가 여러분을 인정하고 존경할 것이다. 그리고 돈 때문에 사람이 모일 것이다. 돈은 사람을 끌어당기는 자석 같은 힘이 있다.

　　그러므로 돈에 대한 열망을 품고, 그것을 원동력으로 대학에 진학하자. 만약 공부

머리가 아니다 싶은 학생이라면 빨리 사회로 진출하여 돈을 왕창 벌려고 노력해도 좋다. 그냥 버는 게 아니라 '왕창'이다. 10억을 벌려고 해야 3억이 벌리기 때문이다. 돈을 동기 부여로 삼는 것을 나쁘게 생각할 필요가 없다. 돈이 동기 부여가 되어 대학 입시에 성공하고, 취업에 성공하고, 창업하여 큰 부자가 되기 바란다. 돈은 정말 소중한 수단이기 때문이다.

끝으로 꼭 하고 싶은 말이 있다. 간혹 너무 '물질 만능주의'적인 사고가 아니냐는 말을 하는 사람이 있다. 이 챕터의 핵심은 돈의 중요성과 돈의 역할에 대하여 열린 마음으로 파악하라는 데 있다. 정말로 돈이 현실에서 어떤 존재인지, 돈의 의미와 돈이 가지는 가치, 돈의 힘을 진심으로 이해해 주기 바란다.

★ 돈으로 해결하지 못하는 문제는 거의 없다. 돈을 나쁘게 쓰는 게 문제지, 돈을 잘 쓰고 착하게 쓰면 돈처럼 좋은 친구도 없다. 돈을 벌려고 노력하고 돈과 사랑에 빠지라.

건강하기만 해도
성공한 인생이다

아래의 건강 체크 리스트를 한번 살펴보자.

나에게 이런 아픔이 있다면?

- 무좀에 걸려 너무 간지러워서 발을 계속 긁고 있다.

- 지루성 두피염으로 머리에서 비듬이 너무 많이 떨어진다.

- 자주 체해서 소화불량으로 고생한다.

- 두통과 편두통이 너무 심해서 며칠에 한 번씩 두통약을 먹는다.

- 아토피가 있어서 피부가 너무 예민하다.

- 내향성 발톱(발톱이 안으로 파고드는 현상)이 있어 괴롭다.

- 천식이 있어 호흡이 힘들 때가 종종 있다.

- 다한증이 있어 사람들과 악수하기가 두렵다.

- 비염이 심해서 재채기와 코 막힘이 심하다.

- 안구건조증이 있어서 눈이 뻑뻑하고 금방 피로해진다.

- 생리통이 너무 심하다.

- 변비가 심해 배가 늘 아프다.

- 치질이 있어 항문이 늘 따갑고 아프다.

- 코피가 자주 나서 자주 어지럽고 지혈에 어려움을 겪는다.

- 척추가 휘어 있어 목 디스크, 거북목이 진행될 위험이 있다.

- 불면증이 심해 밤마다 잠이 오지 않아 고생이다.

- 머리카락이 너무 많이 빠져서 탈모에 걱정이 많다.

- 악성 곱슬머리로 스타일이 안 나와서 스트레스가 너무 크다.

- 우울증과 공황장애가 있어 사람과 상황이 무섭다.

- 크론병, 궤양성 대장염, 배체트병 등 평생 관리해야 할 자가면역
  질환이 있다.

- 허리 디스크가 있어 걸을 때마다 통증이 있다.

여기 나오는 증상과 질병 들은 치매나 암처럼 목숨이 위태롭

거나 대단히 위험한 질병이라 할 수는 없다. 하지만 한 가지라도 가지고 있다면 삶의 질이 확연히 떨어지게 되는 게 사실이다.

나는 십 년 전쯤 무좀에 걸린 적이 있다. 공기업 인턴을 하던 시절에 돈 4만 원을 아끼려고 엄청 낡고 좁은 고시원에서 생활한 적이 있는데 그곳에서 무좀에 걸려 버렸다. 그리고, 별것 아닌 것으로 생각했던 무좀이 인생을 뒤흔들어 놓을 정도로 심각한 영향을 끼쳤다. 가려움증이 너무 심해 공부와 업무에 집중할 수 없고, 잠을 자려고 해도 잠이 오지 않았다. 날카로운 물건으로 발바닥을 긁기도 하고, 약국에서 종류가 다른 무좀약을 전부 다 사다 발라봐도 전혀 소용이 없었다. 숙소를 옮기고 병원에서 무좀약을 처방받아 두 달가량 먹고 나서야 간신히 가라앉고 사라지기 시작했다. 지금도 이때를 떠올리면 악몽처럼 생각되고, 건강에 신경 써야겠다는 다짐을 다시 한 번 하게 된다.

건강을 잃으면 전부를 잃는 것입니다

이렇든 작은 건강 문제부터 큰 건강 문제까지 우리 인생에서 건강은 매우 큰 영향을 끼친다. 만약 열심히 일했는데 췌장암 4기라는 진단을 받았다면, 그동안 흘린 땀과 수억 원의 통장 잔고가 무슨 소용이 있을까. 열심히 공부했지만 허리 디스크, 목 디스크로 매일 진통제를 먹어야 한다면 삶이 행복할까?

진로 강연을 하면서도 언제나 돈과 건강을 강조하는 이유는 바로 이러한 '현실' 때문이다. 건강이 가장 중요하고, 아플 때 병원비가 필요하기에 '돈'이 중요하다는 것이다. 공부를 못하는 것은 단지 아쉬운 일이지만, 건강이 안 좋다면 평생 후회와 좌절이 따르게 된다. 입시, 자격증, 진급, 그 어떤 것보다 가장 우선순위는 건강이라는 점을 알아야 한다. 이때 내 건강은 물론 부모님 건강까지 함께 챙길 수 있다면 더욱 좋은 일이다. 그런 마음이 있다면 가정에 진정한 행복이 넘칠 것이다. 꼭 기억하자. 생명과 건강이 세상에서 가장 중요하다.

★ 건강을 잃으면 다 잃는 것이다. 행복은 건강에서 시작된다. 그러니 절대 아프지 마라.

성공을 위한 보너스 트랙, 인맥

"이 사람은 제가 보증합니다. 꼭 잘 봐 주세요!"

어른들에게는 성공의 비밀이 있다. 흔히들 '노력'과 '운'으로 성공했다고 말하지만 숨겨진 진실은 '인맥'에 있다. 인맥은 서로의 공통점을 중심으로 연결된 '사람들의 집합'을 의미한다.

대놓고 말하자면, 누구나 인맥이 필요하다. 성공하고 싶다면 인맥을 가져야 한다. 그 이유는 크게 세 가지다.

인맥은 어디서나 성공의 열쇠가 됩니다

첫 번째, 전 세계 어딜 가도 인맥이 '성공의 열쇠'가 되기 때문이다. 선거를 한번 생각해 보자. 후보자가 같은 지역 출신이 아니라면 뽑힐까? 대부분 많은 득표를 기대하기 어렵다. 사업은 어떠할까? 누가 제일 먼저 내 제품을 사 줄까? 바로 가족과 지인(아는 사람)이다. 또한 여러분이 대학에 가서 시험을 잘 보려면 기출문제 모음집인 '시험 족보'가 필요한데, 이 족보를 얻는 방법 역시 바로 인맥이다. 학과 활동을 하며 선배들에게 얻거나, 이미 얻은 친구들을 통해 다시 얻거나 하는 것이다.

미국은 다를 거라 생각하는가? 미국은 인맥 활용을 아예 문화로 만들었다. 회사에서 한 팀을 이루는 팀원이 모두 같은 학교 졸업생이거나, 아예 회사 전체가 모두 같은 학교 출신인 경우도 있다. 그만큼 검증된 사람의 추천을 원하기 때문에 생기는 일이다. 결국, 미국의 추천서 시스템, 채용 추천의 본질 역시 인맥인 것이다.

두 번째 이유는 앞으로 선진국의 '추천' 시스템이 우리나라에도 확산될 것이기 때문이다. 우리나라와 외국을 비교할 때 인맥의 가장 큰 차이는 바로 '신용도'이다. 쉽게 말해 우리나라의 인맥은 '내 사람'이라는 느낌을 강조하는 가족의 개념이고, 외국에서는 믿을 만한, 그야말로 보증을 설 만하다는 '신용' 개념의 인맥이다. 외국은 A라는 사람을 추천할 때 굉장히 신중하게 써 주고, 비밀을 유지하며 추천서를 써 준다. 그야말로 능력과 품성을 두루 보장하며 조심스레 추천하는 것이다. 하지만 우리나라는 부탁의 개념으로 차를 마시거나 식사를 하면서, 아니면 전화 한 통으로 쉽게 추천하는 분위기다. 내 사람이니 혹여나 부족하더라도 잘 봐 주고 이해해 달라는 뜻이 담겨 있다.

그런데 최근 들어 국내 대기업에서도 '객관화'와 '신용'을 강조하는 미국식 추천 시스템을 적용하기 시작했다. 경력직을 위해 전문 업체에 의뢰하기도 하고, 팀원들이 함께 하고픈 사람들을 회

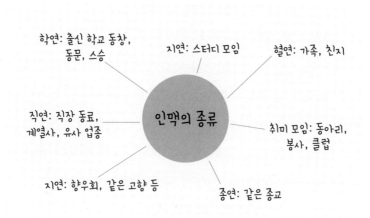

인맥은 여러 분야에서 다양하게 형성된다.

사에 추천하기도 한다. 이는 우리나라 특유의 '정 문화'를 벗어나 능력 중심 문화로 바뀌는 것을 의미한다. 이 같은 능력 중심 추천 시스템, 경력직 선호 현상이 대기업과 국내 4차 산업 회사에서 더욱 확산되고 있으니 나보다 나은 사람을 사귀기 위해 노력해야 한다. 어찌 보면 인생은 누구를 만나느냐가 승부를 가르는 '인생 게임'과도 같다.

마지막으로 세 번째 이유는, 인맥이 부자를 만들어 주는 램프의 요정이 되기 때문이다. 인맥이 많으면 많을수록 부자가 될 확률이 높아진다. 사업하는 어른들은 부지런히 각종 사교 모임에 얼굴을 비추고 사회봉사를 다니며 수백수천만 원을 기부한다. 다 좋은 인맥을 만들기 위해서다. 사람을 만나면 돈이 되고, 정보가 오가고, 기회를 서로 주게 되기 때문이다.

가령, 능력 있는 지인을 통해 부동산 투자 정보를 더 빨리 얻을 수도 있고, 주식 고수를 만나 투자 비법을 배우며 부자가 되기도 한다. 대학 입시에 유리한 정보도 대개 인맥과 돈을 통해서 얻게 되고, 취업에 있어서도 '아는 사람' 찬스를 통해 알게 모르게 도움을 받기도 한다. 그러므로 우리는 능력 있는 사람들과 많은 연결 고리를 만들어야 한다. 그렇게 되면 사회적 성공을 얻고 더 나은 인생을 사는 데 매우 유리해질 수 있다.

결론적으로 하고 싶은 말은, 결국 우리 스스로가 먼저 좋은 사람이 되어야 한다는 것이다. 즉, 내가 먼저 성격이 원만한 사람, 매력 있는 사람, 능력 있는 사람이 되어야 한다. 간단하다. 말하기보다 듣기를 좋아하며 경청하는 사람, 차갑고 딱딱한 이미지보다는 따뜻하고 부드러운 이미지를 가진 사람, 말을 툭툭 내뱉지 않고 매너 있게 말하는 사람이 모두 능력이 출중한 사람이다.

그리고 나보다 나은 사람들이 많은 곳, 능력 좋은 사람들이 모여 있는 곳에서 학교 밖 활동을 많이 해야 한다. 대외 공모전 활동, 영재 기업인 / 교육원 캠프, 창업 캠프 등에 참여하면 도움이 된다. 그런 곳에 가는 순간 미래에 대한 정보가 달라지고, 앞서가는 친구들을 보며 좋은 자극을 받고, 서로 다른 생각과 취향을 가진 전국의 친구들을 사귈 수 있다. 우리는 그렇게 서로를 부자로 만들어 주는 황금 인맥이 될 수 있다.

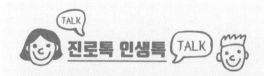

★ 인맥이 바로 황금이고 돈이다. 살다 보면 사람으로부터 도움을 받는 경우가 99%이다.

책 속
부록

나를 알아가는
첫걸음

졸업하기 전에 알았으면
좋았을 것들 40가지

나를 알아가는 첫걸음

진로 설계를 위한 기초 문답

내가 어떤 사람인지 모르는 사람이 의외로 많다. 다음의 질문에 답을 써 보며 나의 정체성, 내 생각, 나의 꿈을 정리해 보자. #

1. 자라 오며, 살아 오며 주변에서 많은 칭찬을 받았던 일이나 사건을 떠올려 보자.

   예) 과학 경시 대회 수상, 저금통에 5년간 꾸준히 돈을 모은 일, 창업 캠프 발표회, 모형 자동차 조립 등

   나의 대답 : _____

   _____

   _____

2. 내 인생에서 수개월 이상 노력한 일이 있다면?

   예) 벽화 봉사, 카이스트 IP-CEO 캠프 참여, 학교 축제 조직위원회

   활동 등

   나의 대답 : _____

   _____

   _____

3. 생각만 해도 스트레스가 없어지는 즐거운 일은?

   예) lol 게임 토론, 유튜브 시청, 화장품 쇼핑, 옷 쇼핑, 친구와 수다 등

   나의 대답 : _____

   _____

   _____

4. 내가 꺼리는 일들을 생각해 보자.

   예) 남들 앞에서 말하는 일, 아무것도 안 하고 가만히 있는 것 등

   나의 대답 : _____

   _____

   _____

5. 재산이 200억 있다면 미친놈 소리를 듣더라도 해 보고 싶은 일은?

   예) 아프리카 식수 공급, 로봇 개발, 지역 야구단 창단 등

   나의 대답 : _____

   _____

   _____

6. 시간 가는 줄 모르고 어떤 일을 해 본 경험이 있는지 생각해 보자.

   예) 보드게임, 노래방, 요리, 게임, 축제 준비 등

   나의 대답 : _____

   _____

   _____

7. 급여를 받지 않아도 무급으로 할 수 있을 것 같은 일이 있다면?

   예) 장애인 봉사 활동, 농사, 악기 만드는 일, 음악 DJ, 미술 작품 지역

   사회 기부

   나의 대답 : _____

   _____

   _____

8. 당신 주위에 가장 행복해 보이는 사람, 또는 당신이 알고 있는 가장 행복한 사람은 누구인가?

    예) 가족, 친척, 친구들 중에서. 또는 유튜버, 연예인들 중에서

    나의 대답 : _____

    _____

    _____

9. 그 사람이 행복한 이유는 무엇이라 생각하는가?

    예) 돈 걱정이 없어서, 취업이 잘 돼서, 부모님이 좋아서, 건강해서 등

    나의 대답 : _____

    _____

    _____

10. 다른 사람을 웃게 하고 기쁘게 하며, 스스로 감사와 행복을 느낀 일이 있는지 생각해 보자.

    예) 누군가가 나에게 '고맙다' '오늘 행복하다' '진짜 재미있었다' '좋았다'라고 한 일

    나의 대답 : _____

    _____

    _____

11. 죽기 전에 꼭 한번 해 보고 싶은 일은?

예) 혼자서 세계 여행 떠나기, 길거리 버스킹, 유럽 프리미어 리그 축구 경기 관람 등

나의 대답 : _____

_____

_____

12. 내가 하면 왠지 돈을 많이 벌 수 있을 것 같은 일은?

예) 게임 방송 진행, 화장품 개발, 의류 디자인, 의사, 학원 강사, 변호사 등

나의 대답 : _____

_____

_____

13. 내 주변에서, 또는 인터넷을 통해 현실적으로 1억~10억 이상 소득
    을 올리는 사람들이 어떻게 부자가 되었는지 알아보자.
    예) 주식, 부동산, 창업, 비트코인, 투잡, 쓰리잡 등
    나의 대답 : _____

    _____

    _____

14. 내가 정말 슬플 때, 혹은 정말 행복할 때 꼭 올 것 같은 사람의 리스
    트를 만들어 보자.
    예) 친구, 가족 이름
    나의 대답 : _____

    _____

    _____

15. 내 가족(엄마, 아빠, 조부모)의 10대, 20대 시절의 꿈은 무엇이었고,
    현재의 꿈은 무엇인지 여쭈어 알아보자.
    예) 카페나 책방 차리기, 시인, 교사, 화가, 과학자, 대학교 진학 등
    나의 대답 : _____

    _____

    _____

졸업하기 전에 알았으면
좋았을 것들 40가지

인생을 살다 보면 학교와 가정에서 알려 주지 않아 몰랐던 것들에 대한 후회와 아쉬움, 탄식이 찾아올 때가 많다. 그럴 때마다 '인생의 중요한 철학'을 미리 알았더라면 좋았을 텐데… 하는 아쉬움이 있다. 후회는 늘 우리에게 늦게 오기 때문이다. 그래서 학생, 학부모, 교사를 위해 현실적인 내용의 철학을 정리해 보았다.

01. 공부머리가 없다고 낙담하지 말라. 세상은 공부머리, 일머리, 돈 머리, 디자인 머리 등으로 다양하게 살아가는 공간이다. 내가 잘하는 것으로 세상을 살아가라.

02. 학교 안에서 성공 못해도 낙담하지 마라. 결국, 학교 밖에서 성공하면 되는 것이다. 학교 졸업 이후가 더 중요하다. 학교는 첫 번째 발판일 뿐이다. 넓은 눈으로 보라.

03. 나는 '뭐든 할 수 있는 사람'이라고 꼭 믿어라. 당신은 그렇게 태어났다. 당신의 인생에 큰 기회와 작은 기회 수십 번은 충분히 온다. 당신은 정말 할 수 있고, 하면 되는 사람이다

04. 인생은 학교에서 배운 대로 규칙을 따라 살거나, 세상에서 배운 대로 불규칙으로 살거나, 2가지이다. 특히 불규칙적으로 역발상/창의성 / 실행력을 발휘해 보라. 역사적으로 큰 부자들은 규칙을 깬 불규칙 인재였다. 규칙에 의문을 품고 남과 다르게 하는 것 자체로 당신은 성공할 확률이 높아진다.

05. 우연히 일어나는 일은 없다. 현재의 나는 과거의 내가 쌓인 상태이다. 인생의 대부분은 내가 보인 반응과 행동이 결정한다.

06. 평범한 생각은 늘 우리에게 뭔가를 더하라 하고, 비범한 생각은 늘 우리에게 뭔가를 빼라고 한다. 1년에 몇 번은 비우고, 정리하고, 점검하는 시간을 꼭 가져야 한다.

07. 인생은 공평하다. 열심히 하면 언젠가 보상을 주기 때문이다. 하지만 당장이 아닌 먼 미래, 불확실한 보상이기에 열심히 하지 않게 될 뿐이다.

08. 졸업 이후 모든 판단은 여러분 스스로 해야 한다. 스스로 생각을 잘하는 사람이 되어야 한다. 사회에 나오는 순간 정해진 답이 없는 문제들과 씨름해야 하기 때문이다. 내 인생을 남의 손에 맡기지 말고 스스로 생각하고 판단하라.

09. 세상은 의외로 다양한 선택지가 가득하고, 하나의 정답만 있는 것이 아니다. 인생에 맞는 결정, 틀리는 결정은 없다.

10. 감사하라! 그리고 감사를 행동하라. 인생이 완전 달라진다. 생각과 태도를 바꿈으로 우리는 완전히 다른 삶을 살 수 있다. 꼭 부탁한다. 주위 모든 것을 감사히 생각해 보자.

11. 세상에는 여러분이 안 먹어 보고, 안 만나 보고, 안 해 보고, 안 가보고, 안 가져 본 것이 더 많다. 다 먹어 보고, 다 만나 보고, 다 해 보고, 다 보고, 다 가져 보라. 세상은 살 만하고 아름답다!

12. 모든 성공한 사람들은 실패가 성공보다 더 많다. 실패는 당연한 것이므로 주눅 들지 말라. 혹시 지금 원하는 것을 못 쌓았는가? 아직 당신 차례가 아닐 뿐이다.

13. 혼자 열심히 하는 것보다 '잘하는 것'이 중요하다. '열심히'는 당연한 것이다. 중요한 것은 당신이 얼마나 바쁜가가 아닌, 당신이 무엇에 바쁘냐이다.

14. 큰 문제라는 것은 원래 없다. 해결 못할 문제는 없는 것이다. 두려움이나 짜증은 잠깐의 감정일 뿐 그것은 결국 가짜이다. 결국 모든 것은 시간이 지나면 해결이 되어 있다. 넓게 보고 긍정적으로 생각하라. 어차피 해결될 문제에 왜 가짜 감정을 쏟고 억눌려 있는가? 툴툴 털고, 해결 방법에 집중하고 늘 좋게 생각하라.

15. 무엇인가를 성취하고 싶다면 무조건 '시작'만 하라. 시작이 정말 70%는 차지한다. 중도 포기해도 좋으니 시작만 먼저 하고, 그다음에는 그냥 완주만 해 보라. 그럼 최소 중위권의 결과는 얻게 된다.

16. 화는 늘 멀리하고, 감정은 다스리라. 조절하지 못하면 인생에 큰 후회로 다가온다. 함부로 인연을 끊지 말고, 쉽게 목소리를 높이

지 마라.

17. 외모를 가꾸려 늘 노력하라. 내면의 아름다움이 더 중요하고 바깥의 외모는 안 중요하다는 사람을 멀리하라. '깔끔한 이미지' '자기 관리 하는 이미지'로 만들어야 한다. 특히 피부와 헤어스타일, 옷차림을 깔끔히 하라.

18. 사람들은 대부분 외모, 이미지, 행동 등 겉으로 판단을 한다. 그러니 겸손한 척, 열심히 하는 척, 착한 척을 하라. 척하다 보면 실제로 내가 그렇게 되기도 하고 최소한 좋은 이미지는 얻게 된다. 학교 수업을 생각해 보라. 열심히 듣는 척만 해도 선생님이 여러분을 예뻐할 것이다.

19. 결혼 시장에서 제일 인기 있는 사람은 '생활력'이 뛰어난 사람이다. 무인도에 가서도 살아남을 사람, 내 가족 굶길 일 없을 것 같은 사람은 사회에서 서로 모셔가려 한다. 생활력 좋은 사람은 곧 책임감이 강한 사람이기 때문이다.

20. 실행력이 좋은 사람이 성공할 확률이 높다. 여기서 실행력은 2가지 의미를 지닌다. 미루지 않는 습관으로 '바로바로 일을 처리하는

것'과 '아 몰라~ 들이대~' 라는 '무대뽀' 정신을 가지는 것이다.

21. 책을 읽는 사람이 사회적인 성공을 이룰 확률이 통계적으로 높다는 사실만 기억하라. 책만 많이 읽어도 사회에서 성공할 수 있다는 사실을 꼭 암기하라.

22. 책 1권만 읽고 아는 척하지 말라. 원하는 분야에서 3권 이상은 읽어야 균형 잡힌 지식과 시각으로 세상을 바라볼 수 있다. 1권의 독서는 편협한 사람을 만들 뿐이다. 기회가 되면 해당 분야의 책을 3권은 꼭 읽으라.

23. 책을 읽고 변한 것이 없다면, 안 읽은 것과 같다. 삶에서 꼭 적용하고 연습하라.

24. 말투만 바꾸면 관계가 바뀜을 깨달으라. 연인, 친구, 부모 / 자녀 사이에 말투만 잘 디자인하면 감정을 건드리지 않게 되어 싸울 일이 10분의 1로 줄어들게 된다. 제발 말투에 신경 쓰라.

25. 말이 안 통하는 사람, 불편한 친구가 있다면 굳이 친해질 필요 없다. 계속 안 통할 확률이 높다. 해결하려 하지 말라. 제일 어리

석은 짓이다. 나를 편하게 해 주는 사람들과 잘 지내면 되니 스트레스 받지 말라.

26. 누군가를 도우려 하라. "내가 도와줄 게 없니?" 물어보라. 호감이 넘치게 된다. 남을 도우면 내가 살고, 남을 부자로 만들면 그 부가 차고 넘쳐 내게로 흘러 내려온다.

27. 눈치는 빠르되, 어느 정도는 모르는 척하는 것이 편하다

28. 상대방의 약점, 단점을 타인에게 절대 말하지 마라. 말을 아끼라.

29. 결정을 할 때는 항상 5분의 시간을 달라고 말하라.

30. 이광수, 조세호, 지석진, 노홍철은 유재석이 좋아하는 사람들이다. 이들의 공통점은 까칠하게 받아치지 않고 상대방의 토크를 기분 좋게 받아 주는 '샌드백형' 사람들이다. 즉, 성격이 둥글둥글한 사람들이다. 샌드백형 사람이 되면 세상 사람들이 여러분을 편하게 생각하고 더 좋아할 것이다. 잘 들어 주고, 맞춰 주고, 둥글게 넘어가며 인간적 매력이 넘치는 사람이 되자.

31. 무조건 참지 말고 어느 정도 표현하라. 사회에서 계속 참는 사람은 호구로 보이고, 계속 모든 책임과 일을 도맡게 된다. 화를 내라는 것이 아니다. 적절한 의사표현을 하라는 것이다.

32. 생각보다 우리의 인간관계는 30대 이후 대부분 멀어진다. 그리고 생각보다 진짜 친구는 별로 없다. 사람과 둥글게 잘 지내되, 사람에게 기대는 하지 말자.

33. 평소 인사만 잘해도 사회에서 평가가 완전 달라진다. 모든 어른들이 공감한다.

34. 사람은 천천히 오래 보려 하라. 요즘 세상은 과거와 달리 사람을 쉽게 믿어서는 안 된다. 보증도 함부로 서면 안 된다.

35. 남의 눈을 의식하지 마라. 우리 자체가 오리지널이다. 왜 스스로 남의 눈치를 보고 짝퉁이 되려 하는가. 허세, 눈치 보기를 멀리 하라.

36. 돈이 있으면 인생의 대부분의 문제가 해결된다. 돈을 많이 벌라. 기부해도 좋고, 가족, 친구를 주어도 좋으니 우선 돈을 많이 모으

도록 하라. 생각보다 돈은 우리 삶에서 많이 중요하다.

37. 수시로 모방하고 베끼라. 그리고 그것을 토대로 깊고 다양하게 생각하고 확장하고 업그레이드 하라. 세상이 그렇게 이루어져 있고 선배들이 그렇게 돈을 만들고 있다. 돈 벌고 싶다? 타인을 따라 하라. 그럼 된다. 공부 1등의 행동을 그대로 따라 하고, 100억 부자의 생각과 행동을 그대로 따라 하라. 큰 부자를 따라 하면 최소 작은 부자가 되고, 공부 1등을 따라 하면 공부 7등은 될 것이다.

38. 일확천금을 노리기보다 꾸준히 쌓아 가라. 승부는 함부로 보는 것이 아니다.

39. 성관계는 늘 책임이 따름을 꼭 알라. 한 번의 행동으로 인생이 바뀔 수 있다. 피임, 몸의 소중함을 꼭 깨닫고 행동하라.

40. 하루 종일 A 한 가지만 계속 생각하라. 다른 생각이 나려고 하면 의식적으로 A 하라. 그렇게 A를 3일만 하면 당신은 A로 가득 찬 1년을 살게 된다. A는 공부, 영어, 돈, 운동, 화장품, 뭐든 될 수 있다. 인생은 우리가 하루 종일 생각하는 것으로 이루어져 있다.

참고자료

· 알렉스 비어드, 《앞서가는 아이들은 어떻게 배우는가》, 아날로그
· 이지성, 《에이트》, 차이정원
· 켄 로빈슨, 《아이의 미래를 바꾸는 학교혁명》, 21세기북스
· 데이지 크리스토둘루, 《아무도 의심하지 않는 일곱 가지 교육 미신》, 페이퍼로드
· 김태훈, 《공부 자존감》, 다산3.0
· 홍진표, 《생각코딩, 머리를 잘 쓰는 사람들의 비밀》, 김영사
· 조신영, 《엘리베이션 파워》, 클래식북스
· 김용섭, 《언컨택트》, 퍼블리온
· 제이비림, 《부의 파이프라인》, 지식과감성#
· 로버트 기요사키, 《부자 아빠 가난한 아빠》, 민음인
· 로버트 기요사키, 《부자 아빠의 자녀 교육법》, 민음인
· 로버트 기요사키, 《왜 A학생은 C학생 밑에서 일하게 되는가 그리고 왜 B학생은 공무원이 되
  는가》, 민음인
· 엠제이 드마코, 《부의 추월차선》, 토트
· 김영준, 《멀티팩터》, 스마트북스
· 양광모, 《비상》, 이룸나무
· 박종하, 《다르게 생각하는 연습》, 새로운제안
· 한국비즈니스정보, 《4차산업 투자지도》, 어바웃어북
· 박성훈, 《스스로학습이 희망이다》, 21세기북스
· 이병훈, 《성적이 오르는 학생들의 1% 공부 비밀》, 원앤원에듀
· 조남호, 《스터디 코드 3.0》, 더난에듀
· 박찬일, 《2019 상장 기업 업종 지도》, 에프엔미디어

· 네이버 금융 - 〈투자전략〉 산업분석 리포트 / 종목분석 리포트 / 경제분석 리포트
· 네이버 카페 - 〈가치투자연구소〉, 〈성장하는 가치투자자의 삶〉, 〈보수적인 투자자는 마음이
  편하다〉
· 네이버 블로그 - 〈안아줘 투자이야기〉, 〈Hodolry의 블로그〉, 〈이기는 투자자〉, 〈시나리오 투
  자 연구소〉, 〈과거에 잘했다고 앞으로도 잘할거라 생각마라〉, 〈월급쟁이 루지의 투자 이야기〉
· 한경컨센서스 - 〈산업 / 기업 리포트〉

코로나19 이후 새로운 시대를 준비하는 초중고 미래 교양 교과서
10대를 위한 완벽한 진로 공부법

1판 1쇄 인쇄 2020년 6월 18일
1판 9쇄 발행 2021년 4월 26일

지은이 앤디 림, 윤규훈
발행인 김형준

편집 최예원
디자인 섬세한 곰 김미성

발행처 체인지업북스
출판등록 2021년 1월 5일 제2021-000003호
주소 서울특별시 은평구 수색로 217-1, 410호
전화 02-6956-8977 **팩스** 02-6499-8977
이메일 change-up20@naver.com
홈페이지 www.changeuplibro.com

© 앤디 림, 윤규훈, 2020

ISBN 979-11-970659-8-9 43190

체인지업북스는 내 삶을 변화시키는 책을 펴냅니다.